"永远的黄河"丛书

奔腾不息

黄河水利委员会新闻宣传出版中心 组编

许立新 主编

U0255732

中原出版传媒集团
中原传媒股份公司

大象出版社
·郑州·

图书在版编目(CIP)数据

奔腾不息 / 黄河水利委员会新闻宣传出版中心组编. —
郑州：大象出版社，2021.6
("永远的黄河"丛书)
ISBN 978-7-5711-1023-9

Ⅰ. ①奔…　Ⅱ. ①黄…　Ⅲ. ①黄河-介绍
Ⅳ. ①K928.42

中国版本图书馆 CIP 数据核字(2021)第 055870 号

"永远的黄河"丛书

奔腾不息
BENTENGBUXI

黄河水利委员会新闻宣传出版中心　组编
主编　许立新
审稿　铁　艳

出 版 人　汪林中
责任编辑　张　涛
责任校对　毛　路　陶媛媛　马　宁
装帧设计　王莉娟

出版发行　大象出版社(郑州市郑东新区祥盛街 27 号　邮政编码 450016)
　　　　　发行科　0371-63863551　总编室　0371-65597936
网　　址　www.daxiang.cn
印　　刷　郑州新海岸电脑彩色制印有限公司
经　　销　各地新华书店经销
开　　本　720 mm×1020 mm　1/16
印　　张　12.25
字　　数　130 千字
版　　次　2021 年 6 月第 1 版　2021 年 6 月第 1 次印刷
定　　价　38.00 元
若发现印、装质量问题,影响阅读,请与承印厂联系调换。
印厂地址　郑州市鼎尚街 15 号
邮政编码　450002　　　　　　电话　0371-67358093

目 录

第一章   黄河的身世 /001

第一节   孕育大河 /003

第二节   黄河初生 /007

第三节   走向大海 /011

第四节   下游变迁 /014

第二章   黄河的特点 /019

第一节   道光二十三，黄河涨上天 /021

第二节   跳进黄河洗不清 /028

第三节   三十年河东，三十年河西 /034

第三章   大河家族 /041

第一节   黄河水系 /043

第二节   黄河上游 /046

第三节   黄河中游 /056

第四节   黄河下游 /070

第四章　大河之源 /075

第一节　"昆仑墟"的传说 /077

第二节　探寻河源的足迹 /080

第三节　河源之辩 /085

第四节　孔雀河和星宿海 /089

第五节　扎陵湖与鄂陵湖 /092

第六节　黄河源区 /095

第五章　九曲黄河 /099

第一节　万里黄河第一曲 /101

第二节　峡谷明珠 /106

第三节　塞上江南 /117

第四节　内蒙古河套平原 /121

第五节　晋陕峡谷 /126

第六节　黄土高原 /134

第七节　从龙门到桃花峪 /140

第八节　下游悬河 /151

第六章　黄河入海流 /163

第一节　最年轻的土地 /165

第二节　逐河而居的新移民 /170

第三节　迷人的河口湿地 /174

第四节　"华八井"传奇 /178

第五节　奔腾入海 /180

参考文献 /186

第一章

黄河的身世

哺育了中华儿女的黄河，也同世间万物一样，有一个孕育、诞生和发展的生命历程。当然，与人类的生命过程相比，黄河诞生的过程是非常漫长的。沧海桑田的印记隐藏在古老的地层中，地质学家不断寻根溯源，揭示亿万年来这片土地上大河演变的漫长轨迹。

第一节　孕育大河

20 世纪以前，人们从未想过地壳是会运动的。直到德国科学家魏格纳提出了"大陆漂移说"，才开启了人们对地壳运动的探索之路。其实，在亘古的时空里，从沧海桑田到海枯石烂是一个一直延续的故事。

古老的大陆

亿万年来，在黄河奔流的这片土地上，曾经发生了怎样的故事呢？

让我们回到 1 亿 8000 万年前，这时的地球已经进入一个叫作侏罗纪的地质年代，恐龙最为繁盛，所向披靡，称霸地球。陆地上遍布苏铁类、银杏类等裸子植物，到处是郁郁葱葱的大片森林，只是能够开花结果的被子植物还没有出现，色彩略显单调。

华北地台是中国范围内形成时间最早而且面积最大的陆地。侏罗纪时，华北地台已经有了明显分化，地台西部的主体仍保持稳定，东部开始受到地质构造运动的破坏。此时这里还没有黄河的身影，今天的"世界屋脊"青藏高原，当时还是波涛汹涌的辽阔海洋——古地中海，注入大洋的河流也是由东向西流淌。

造山运动

后来发生了被称为燕山运动的造山运动。这场造山运动至少延续了7000 万年，在长江上游形成了唐古拉山脉，古地中海后撤。华北地台东部受大规模的岩浆活动和地质构造变形的影响，形成了鄂尔多斯东侧的恒山 – 五台山－太行山造山带、北侧的阴山－燕山造山带、南侧的秦岭造山带。与现在的山西高原连为一体的今华北平原地区转而沉降，先形成盆地，后来逐渐发展成为大平原，至此我国地势起伏的大体轮廓初步形成。

进入新生代（始于距今 6500 万年前），一场更剧烈的造山运动——喜马拉雅运动改变着这里的面貌。它促使喜马拉雅山脉从海底崛起，青藏高原急剧抬升。到了 1000 多万年前，自西向东，在地势上形成了三个高低不同的地形面，中国地势的三级阶梯形成，从而奠定了我国河流由西向东流的格局。黄河就是在这一背景下形成的。

喜马拉雅运动

　　喜马拉雅运动是中国地质学家黄汲清先生在 1945 年提出的，现在泛指发生在中国境内的新生代以来的造山运动。在这一运动中，古地中海隆起形成了横贯东西的山脉，青藏高原成为世界屋脊，中国地势东西高差增大，三级阶梯的地貌形成。

古湖泊水系

在这次地质大运动中，地壳被切割成若干大小不等的地块，有的下沉，有的抬升。下沉的地块成为盆地，盆地内降水汇集，贮水成渊，并在水泊四周下切形成放射状的水系，逐渐形成了河流、湖泊或沉积平原；抬升的地块形成了山脉，山脉随着时间的流逝，有些被风化剥蚀，逐渐夷平成为高原。

200 多万年前，我国的三级阶梯上广泛分布着成因不同的古湖盆。青藏高原上较大的古湖盆有河源湖盆、贵德湖盆、湟水湖盆、共和湖盆、循化湖盆、青海湖盆等；黄土高原与鄂尔多斯高原上有银川湖盆、河套湖盆、汾渭湖盆等；东部广阔的华北凹陷区在华北平原形成以前，也分布着众多大大小小的湖泊。

　　在古黄河诞生前的几十万年里（距今 150 万年以来），地球上发生了两次规模较大的冰川活动。冰河时期的气候寒冷干旱，那些大湖逐渐萎缩，或被分割成许多小的湖泊，形成若干大型湖盆和许许多多小的湖泊、湿地。这些湖泊成为地表水的汇集区，并逐渐发育成独立的内陆水系，古黄河就是在这些独立水系的基础上演变而成的。

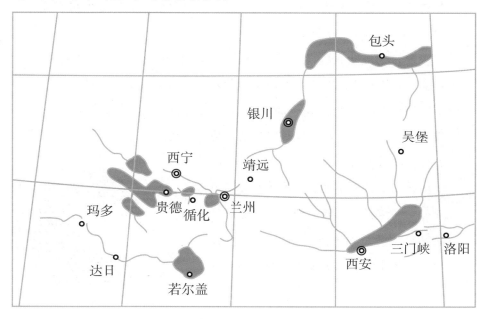

古湖盆分布示意图

河流的前世今生

　　子在川上曰："逝者如斯夫，不舍昼夜。"时光如水，永不停歇，这是古人对时间流逝的感慨，也是对河流的认识，不知源起，不知所终，永恒如斯。

　　其实，地球在刚刚形成的时候表面并没有河流，也没有海洋。频繁的火山活动喷出大量的气体，其中就包含水蒸气。大气层中的水蒸气逐渐增多，达到饱和后，随着地表温度的降低冷却成雨，降落到地面上，聚集在一些低洼的地方，就形成了湖泊和河流，最后在地球表面最低洼的地方汇集成海洋。

世界上的大江大河大都发源于高原和山地，山地是水汽汇聚的中心，降水多的地方基本上都与山地有关。河口是河流的终点，有的河流流入海洋，有的河流流入湖泊、沼泽或更大的河流，在干旱的沙漠地区，有些河流沿途消耗于渗漏和蒸发，最终消失在沙漠中。

河流与人类的关系非常密切：河水取用方便，是人类可依赖的淡水资源；河流是重要的能源和物资运输的交通线。但河流也曾威胁到人们的生命，人类对河流既依赖又充满敬畏。工业革命以后，随着科技的进步，人类改造河流的能力越来越强，开渠引水、筑坝发电，在对河流进行大规模开发的同时，也使一些河流出现了危机。严峻的现实使人们开始重新审视人与河流的关系，进而修复河流环境、开展人与河流和谐相处的实践活动，使河流的发展迎来了一个新的时期。

第二节　黄河初生

如果说地质运动孕育了大河，那么水流侵蚀的原动力就催生了大河。在讲述黄河诞生之前，我们先来看看黄河诞生前后的气候。

冰川时代

由于地质运动的演变周期实在太过漫长，地质学家就用地质年代作为描述地球历史事件的时间单位。我们现在所处的地质年代叫第四纪，大约开始于260万年前。第四纪又分为更新世和全新世，而更新世就是黄河形成和发育的时期。第四纪发生了两件大事：一件是出现了大规模的冰期；另一件是人类和现代动物的出现。

冰期，又称为"冰川时代"，是指地球历史上大规模的寒冷时期。全球曾发生过三次大冰期，分别是震旦纪冰期、石炭纪至二叠纪冰期和第四纪冰期。

第四纪冰期的全球性冰川活动大约开始于距今200万年前。在这次大冰期中，气候变化很大，冰川有多次进退，至少出现过4~5次冰期与间冰期（两个冰期之间相对温暖的时期）的交替，对应着气候寒冷和温暖时期的交替。在冰期，无边无际的永久性冰雪从南极、北极推进到温带甚至亚热带地区，仅在赤道附近留下狭窄的温暖空间。此时海水后退，气候寒冷干燥，绿野变成荒漠，大量物种灭绝。在间冰期时，气候转暖，海平面上升，大地又恢复了生机。冰期与间冰期的交替改变着地球的面貌，降水量的变化和海平面的升降，更是直接影响着河流的形成与演变。

古湖盆水系的连通

　　距今 120 万年前后，地球进入又一个漫长的间冰期，气候变得温暖而湿润，冰雪消融，降水充沛，河水暴涨，流水的冲刷下切作用不断加剧。加上青藏高原强烈隆起，黄土高原、鄂尔多斯高原缓慢抬升，华北平原长期沉降，这三大地形区的高差越来越大，流水的下切作用越发强烈，使原来浅浅的河底逐渐变深，河流源头的位置也向着与河流流向相反的方向移动，地理学家称其为"溯源侵蚀"。

　　日积月累的溯源侵蚀和河流下切，将相邻的湖盆水系之间的分水岭打开，各个封闭的湖盆有了出口，高海拔的河流改变原来的流向，汇入低海拔的河流，原本各自独立的河段被连接起来。后来共和湖盆至三门古湖之间的湖盆水系一一贯通，一条大河由此诞生了。

　　黄河最初形成时究竟是什么样子？这是近代地理学家们一直关注的话题。最早的观点是在 1868 年提出的，认为古黄河自河套取道黑水，进入岱海，然后流入今天的洋河。自 20 世纪初以来，科学家们一直不断地进行研究，并不断有新的观点提出。但一个不容置疑的事实就是，黄河的形成不是一蹴而就的，上下游的形成不可能是同时的，黄河流经不同的盆地，而盆地的形成年代本身就存在差异，河流的溯源侵蚀将这些盆地一线贯穿并形成一条大河，其时间也应有先后之分。

河湖串联的内陆河系

　　横亘于各湖盆间的原始峡谷，谷深一般三四十米，这就是黄河最古老的河道。同时，两侧的大支流也开始发育。至此，黄土高原上展现出新生的河湖串联的河系。此时的黄河还是一条内陆河，它的东端止于三门古湖，古湖东边的中条山和崤山山脉阻挡着它与大海相通。

　　黄河的形成与发育历程，铸就了今日黄河的两大特色：一是湾多。俗话说"黄河九十九道湾"，其原因就是由众多独立的古内陆湖盆河系衍生而成的古黄河流向多变，古湖泊往往是黄河发生转向、形成河湾的地方。二是河道新老结合。这是因为在不同地质历史阶段发育形成的各段河道，其年龄自然不同。黄河上中游各个湖盆水系的连通，也不是同一时期完成的。科学家通过对黄土地层的测算发现，贯通黄河水系的峡谷段的形成，始于大约 115 万年前，而盆地段河道的形成最多不超过 50 万年。

　　黄河上中游地区的大小湖泊陆续萎缩消亡的时候，东部华北湖的情况却有所不同，这里多次遭到海水入侵，海水的进退直接影响着湖泊的消长，华北湖系由西向东逐渐退缩，西部湖泊萎缩干涸于距今 1 万年以前，东部湖泊的消亡则是近千年来的事情。

黄河——一条年轻的大河

　　与世界上其他大河相比，黄河是一条很年轻的河流。亚马孙河、恒河都有 2000 万年的历史，密西西比河的地质历史更为古老，长达 25 亿年。与黄河发源于同一高原的长江，经推算它的年龄约有 2000 万年，而黄河贯通成为一条大河，也不过 100 多万年，它仍然处于地质生命的成长期，充满了勃勃生机。

相伴相生的远古人类

　　黄河自诞生起，就与人类相伴相生。在黄河诞生的更新世，生物界发生的最重要的事件就是包括人类在内的哺乳动物的繁盛。就在黄河初生的时候，这片古老大陆上的远古人类逐渐学会了直立行走，他们虽然还保留着一些古猿的特征，但与猿已经有了本质的区别。

从黄土高原发现的多处古人类与古文化遗存遗址表明，中华民族的始祖自 180 万年前就生活在这片黄土地上。在现今山西省黄河边的芮城县境内发现的西侯度人，是目前已知最早出现在黄河流域的古人类，也是中国境内发现的最早的人类之一。大约 100 万年以前，在现在的陕西省蓝田县公王岭一带，手持石器的蓝田人已经在密林中追逐野兽，采摘野果。

还有陕西大荔县发现的大荔人，生活在距今 23 万~18 万年前，介于直立人与现代人之间，代表了早期智人的早期阶段。山西北部阳高县的许家窑人，生活在距今约 10 万年前。位于山西省襄汾县汾河东岸的丁村人，则是远古人类在汾河边生活的实证，年代大体与许家窑人相当。

我国最早的人类文化遗址

位于山西省芮城县西侯度村的西侯度遗址是我国迄今发现最早的古人类文化遗存之一，是我国早期猿人阶段文化遗存的典型代表之一。

西侯度村位于黄河东岸的风陵渡附近。从出土文物来看，距今 180 万年前后，这一地区有广阔而稳定的水域、茂密的山林，河湖中时有鱼儿游动，山林间巨河狸、剑齿象、山西披毛犀等时常出没。西侯度人在古黄河岸边或与古黄河有关联的湖泊边采集、渔猎，他们已经开始使用火和打制石器。

第三节　走向大海

　　海洋是大河的归宿，也是影响河流发育最重要的因素之一。形成了上百万年的黄河，奔腾万里，终将投入大海的怀抱。

穿越崤山

　　古黄河贯通以后的几十万年里，水系在不断纵向、横向发展，河道加宽，河床下切。当上游的来水大量进入三门古湖后，水位升高，超过分水岭的高度，湖水就向东漫流，并不断下切，这一过程大概开始于40万年前。经过漫长的岁月，到了距今15万年前左右，三门古湖东边的崤山终于被完全切开，形成晋豫古峡谷（三门峡谷）。从此，中西部高原的内陆水系向外排泄的通道被打开，存在了至少500万年的三门古湖也逐渐疏干而消亡。古黄河由此进入华北平原，浩浩荡荡向东奔流。

　　三门古湖盆位于中国大陆地势第二级阶梯向第三级阶梯过渡的边缘，湖盆东边分水岭的切穿，使流经黄土高原的河流汇集三门峡并向东流入大海，成为现代意义上黄河形成的重要标志，也使黄河中下游流域的环境发生了很大变化。黄河中下游贯通东流之后，导致三门峡以上的广大地区特别是黄土高原地区的河流侵蚀作用明显加强，地形起伏加大，形成了黄土高原上千沟万壑的侵蚀地貌景观，同时地下潜水位降低，加剧了黄土高原地区的干旱化，这也是黄土高原地区的生态环境逐步恶化的自然原因。

　　同时在三门峡以下的黄河下游平原地区，黄河的淤积作用加强，大量来自黄土高原的泥沙在这里堆积。地理学家在黄河下游郑州附近的邙山上发现了15万年前沉积的来自黄土高原的黄土，这也间接验证了黄河切穿三门峡的时间。

与大海共进退

距今 12 万~10 万年间，华北平原地壳回升，水系侵蚀作用加强，华北湖盆里一些独立的内陆湖泊水系相互连通而成为一体，同时又与来自中西部高原的古黄河汇合，便出现了一条西起共和东至文安的大河。此时的海洋退至古东海大陆架，古渤海成为一个宽阔的淡水湖泊。

距今 10 万~7 万年前，气候转暖，冰川消融，海平面大幅上升，不仅侵占了古渤海全境，而且西部岸线扩展到今河北献县稍东，此时古黄河即在此处注入古渤海。

在 2 万多年前，冰期来临，海水又一次东撤，古黄河东进于古济州岛西南侧入海，这是古黄河流程最长、集水面积最大的时期。发源于太行山、燕山及朝鲜半岛西侧的河系均汇入黄河，这也是黄河发育史上最鼎盛的时期。

近万年前，唐克湖与玛涌两个古湖先后疏干，仅留存若干小水泊。古黄河中上游的古湖泊基本消失殆尽，仅存河源地区的扎陵湖和鄂陵湖，从而结束了河湖串联的历史，形成了大河一统的新局面。

古黄河由内陆河变为外流河（直接或间接流入海洋的河流），这在黄河的发育史上是一次历史性的大转折。从此，黄河的演化开始受海洋变迁的影响，特别是下游黄河的进退，更是受制于海洋。

沿河而居的中华先民

大约在 1.2 万年前，气候转暖，地球上原来覆盖的大面积冰川逐渐消退，此时的人类已具有了现代人的特征，进入一个全新的时期——新石器时代。黄河两岸的先民从渔猎经济过渡到生产经济，开始了农耕文化。距今 8000年前，地球上的气候进一步变暖，黄河流域的气候条件更为优越。农业和家畜饲养的出现，扩大了先民的食物来源，人们开始定居，并从事一些手工业生产。最迟在距今七八千年以前，黄河流域已经开始种植粟。在长期的狩猎活动中，人们开始饲养一些比较温驯的动物，使之成为家畜。

新石器时代，人类一般都生活在便于取水、耕作、渔猎、采集，又可防止洪水灾害的河流二级阶地上，如西安半坡仰韶文化遗址、临潼姜寨遗址等。农耕生产依赖土地，这一时期的黄土高原和黄河冲积平原气候温暖，土地肥沃，而且土质疏松，易于垦殖。先民们在大河流域广阔的区域内开垦耕作，掘穴筑屋，形成村落，进而修建城池，建邦立国，演绎着连绵不绝的中华文明。

石器时代

在原始社会时期，人类利用天然材料来制造工具和武器，因为石头既厚重又坚硬，可以给野兽致命的伤害，人们就用石头来制作工具，这一时期在历史上被称为"石器时代"。石器时代分为旧石器时代和新石器时代。当人类开始用敲打石块的方式来制作工具时，就进入了旧石器时代。粗糙的打制石块有锐利的棱角，便于采集和渔猎。八九千年前，人们学会了使用磨制石器，就来到了新石器时代。磨制石器能使石头的形状变得更理想，成为具有专门用途的器具。

旧石器时代的工具

第四节　下游变迁

　　黄河穿越晋豫峡谷来到华北平原以后，四处漫流，北至海河，南到淮河，甚至波及淮河南岸的苏北地区，在这片 25 万平方千米的广阔大地上，留下了奔流的印迹。

塑造大平原

　　在遥远的地质时期，华北平原曾经是一个海湾，只有山东丘陵露出海面，形成一个四面环水的孤岛。在漫长的历史时期，黄河流经黄土高原，深厚的黄土土质非常疏松，加上暴雨频繁，造成了极为严重的水土流失，输入黄河的大量泥沙被河水带到了下游的华北平原。根据历史文献记载，古代华北平原上呈现的是河网交错、湖泊群立的地理景观。

　　历史上黄河肆意泛滥，决口改道极为频繁。年复一年，西起太行山下，东达泰山之麓，北至天津，南到淮河，都曾经是黄河河道摆动和泛滥波及的地区。黄水所到之处，泥沙随之沉淀、堆积。经过这样长期不断的堆积，泥沙最厚的地方竟达几千米，使许多河流变得越来越浅，有的甚至完全断流；许多湖泊经过黄河泥沙淤积，变成了浅浅的湿地，最终形成了华北平原现在的样子。

淤塞的大野泽

　　地质时期，黄河下游的华北平原上曾经散布着数以百计的湖泊，仿佛今天的江南水乡。由于黄河泛滥、改道，大量泥沙淤积到这些湖泊当中，使其面积缩小或被淤为平地，大野泽就是其中之一。

大野泽在今山东省的西南部，从汉武帝元光三年（前132年）起，历史上多次出现过黄河灌注大野泽的情况。河水溢入大野泽，有时会使湖泊水面扩大，有时又会因泥沙的沉积而淤浅甚至淤塞湖面。至9世纪初，大野泽水面进一步扩展，梁山沦为湖心岛屿，于是后世又称大野泽为梁山泊，也就是《水浒传》中所说的八百里水泊。

宋代以后，大野泽因黄河泛滥逐渐淤塞。黄河改道夺淮的700年间，河道频繁变迁，加之黄河泛滥补水增多，同时也带来大量泥沙淤积，大野泽不断向北推移。明代治黄采取堵岗、塞口、修堤、断黄水北流的方法，使大野泽由盛变衰，湖面缩小，被分割成南旺湖、安山湖、蜀山湖、马踏湖、马场湖，称为"北五湖"。现在的东平湖就在安山湖的位置上。

游荡的岁月

数万年来，我国东部沿海地区数次遭到海水入侵，最近的一次海侵出现在距今5000~3500年前。这次海侵的范围较小，大致达到宁河—天津—沧州—乐陵—广饶一线附近。随着海陆的变迁，河流时进时退，河床淤积抬高，黄河下游的河道不断迁徙。黄河下游河道迁徙变化的剧烈程度，在所有河流中都是独一无二的。

黄河进入下游以后，在自然状态下频繁改道、四处漫流。汛期时河水漫溢泛滥，使得每隔一定时期，当河床淤积到一定高度时，黄河就会改道。新石器时代至商周春秋时期，在河北平原的中部有一片广阔的区域，一直没有发现有人类定居的迹象。可以想见当时黄河下游经常在这一地区泛滥，以致人类根本不可能在这里长期定居。

现在一般认为早期的黄河古河道（也就是古人叫作"禹河"的河道）主要沿太行山东侧北流，在现在的天津稍南入渤海。在战国中期禹河南迁以后的近3000年时间里，黄河下游发生了有文字记载的多次大改道，频繁泛滥的洪水横扫整个华北平原。大致来说，黄河迁徙的轨迹是这样的：南宋之前改道泛滥于现行河道以北；南宋至清咸丰五年（1855年），迁徙改道于淮河流域而入黄海；铜瓦厢决口后（1855年），夺大清河于利津县境内复入渤海。这样算来，现在东坝头以下的下游河道，行河时间还不到200年。

> **禹河**
>
> 　　史籍中记述最早的黄河下游河道称"禹河"，即大禹治水以后的河道。夏商周时期，黄河下游河道呈自然状态，低洼处有许多湖泊，河道串通湖泊后分为数支，游荡弥漫，同归渤海。禹河包括今海河流域的范围。

最年轻的河道

黄河流入大海以后，受海水风浪和潮汐的顶托，河水流速趋缓，大量泥沙迅速沉积，填海造陆。在不断的冲淤中形成了以垦利宁海为顶点，北起徒骇河河口、南至支脉沟河口，向东敞开的扇形冲积平原——黄河三角洲。

在这块依然增长着的土地上，黄河的河道也是最年轻的，而且不断延伸、生长。在黄河三角洲地区，河流入海的河道一般叫"流路"。从1855年黄河下游在铜瓦厢改道入渤海以来至2020年，黄河三角洲上实际行水已有165年。据统计，黄河在现行的黄河三角洲上决口改道已经有50多次，其中大的改道就有10次，也就是发生了10次不同的流路发展与衰亡的过程。最新

黄河清水沟流路

的这条流路叫清水沟，黄河从 1976 年改走清水沟以来，这一段最新的河道只有 40 多年的历史。

四渎之宗——黄河

　　四渎是我国古代对四条流入大海的河流的称呼，它们就是长江、黄河、淮河、济水。淮河、济水先后被黄河改道所夺，淮河下游在淤塞后改道流入长江，济水故道就是今天的黄河下游。

　　"中国川原以百数，莫著于四渎，而河为宗。"这是《汉书·沟洫志》里的一句描述，这里的"河"指的就是黄河。自古以来，黄河就被尊为百川之首、"四渎之宗"。

第二章

黄河的特点

千万年来，黄河奔腾不息，滋润着两岸肥沃的土地，哺育着大河流域的各族儿女。但有时黄河也强悍暴躁、桀骜不驯，如同脱缰的野马，横冲直撞，将两岸的一切无情地淹没在滔天的浊浪之中。黄河下游因为河道经常被泥沙淤积，堤防经常决口，河道经常迁徙而具有了"善淤、善决、善徙"的特点。

第一节 道光二十三，黄河涨上天

《孟子·滕文公下》有"昔者禹抑洪水而天下平，周公兼夷狄，驱猛兽而百姓宁"的记载，这就是我们常说的"洪水猛兽"的来历。古人将洪水与猛兽相提并论，可见洪水对人类的危害。

黄河的怪脾气

黄河有个暴涨暴落的怪脾气：在枯水季节风平浪静，水势平稳，浩荡的大河变成了涓涓细流，甚至徒步过河都不湿鞋；到了洪水季节，它发起怒来，一场洪水能淌掉全年水量的三分之一。历史上黄河下游决口泛滥的灾害，大都是黄河这怪脾气造成的。

1952 年 10 月，水利部水文局局长谢家泽、黄委会工程师陈本善等人组成黄河历史洪水调查组，在陕县、潼关等地调查，其间发现了道光二十三年（1843 年）的历史洪水痕迹。燃料工业部水力发电工程总局副总工程师张昌龄推算，这次洪水的洪峰流量为 36000 米³/秒，5 天内流向下游的水量就有 84 亿立方米。据考证，这次洪水是唐代以来黄河的最大洪水。根据对沿河古代遗物和洪水淤沙的调查推测，这次洪峰经过黄河干流潼关到小浪底河段时出现了千年来最高的洪水位。潼关至小浪底两岸的居民对这次洪水记忆深刻，有许多歌谣流传至今。"道光二十三，黄河涨上天，冲走太阳渡，捎带万锦滩"就是当地流传了 100 多年的一首民谣。

太阳渡位于河南陕州，对岸是山西平陆，是连接晋豫的千年古渡。汉唐时期，黄河是水上运输要道，往来贸易的货物多从黄河运输。临近三门峡的太阳渡就成了当时船舶停靠的一个大码头。万锦滩在今三门峡水库陕州风景区内，古代这里树木成荫，繁花似锦，故名"万锦滩"。"滩在州城北门外，州城高河滩十余丈，滩距水面二丈余。"清代曾经在这里设置了测量黄河水位的水尺。一场大洪水，把太阳渡、万锦滩全都冲毁了，可见这场洪水的暴烈。

黄河洪水碑

　　新中国成立后，黄河水文工作者进行黄河历史洪水调查时，在河南省渑池县发现了两块珍贵的黄河洪水碑。一块在渑池县东柳窝村火神庙的东墙外，碑高46厘米、宽38厘米，碑上刻着"道光廿三年又七月十四日，河涨高数丈，水与庙檐齐。咸丰二年立石"。另一块在西柳村的悬崖下，碑高26厘米、宽20厘米，碑上刻着"道光廿三年河涨至此咸丰二年张合族修继先记"。

黄河洪水碑

洪荒年代的印迹

在中国，与古代大洪水有关的传说最有名的就是大禹治水的故事。"当尧之时，天下犹未平，洪水横流，泛滥于天下"（《孟子·滕文公上》），"汤汤洪水滔天，浩浩怀山襄陵"（《史记·五帝本纪》），"禹之时，天下大雨，禹令民聚土积薪，择丘陵而处之"（《淮南子·齐俗训》）。从这些古籍的记载中，可以想象当时黄河流域大雨连绵、洪水肆虐的情景。

考古发现也证实了这一时期大洪水的存在。在我国北方的淮河流域、黄河流域及海河流域，都发现有距今4000年前后异常洪水的地质记录。这些遗迹主要分布在黄河上游的甘肃青海地区、黄河中下游的中原地区、黄河下游渤海至泰山之间的地带及淮河上游地区。

青海的喇家遗址位于黄河北岸的二级阶地上，高出河面约25米，考古发现了这里的大小房址和中心广场，还出土了属于齐家文化的大量石器、陶片、玉器。齐家文化农业经济发达，聚落规模较大，已经进入铜石并用时期。但在距今4000年前后，齐家文化突然衰退，据推测这一时期出现的黄河洪水可能是造成文化衰退的主要原因。

黄河下游的山东龙山文化与黄河上游的齐家文化是同一时期出现的古文明。4000年前，先民们在这里烧出了薄如蛋壳、表面光亮如漆的黑陶，甚称中国制陶史上的鼎峰时期。但在距今4000年前后，龙山文化突然衰退，大洪水事件之后出现的岳石文化，无论在遗址数量和规模上，还是在文化内涵上，都比龙山文化落后很多。专家推测这一地区属黄河泛滥平原，地势平坦，河谷宽浅，先民们通常选择低矮的河流阶地或河间地生活。每到洪水来临时，这些地方很容易遭到洪水的冲击，甚至被洪水带来的泥沙所掩埋。

黄河的"四汛"

河流出现洪水的时期叫作"汛期"。黄河比别的河流特殊，它每年有四个汛期：凌汛、桃汛、伏汛、秋汛，合称"四汛"。

黄河上游宁蒙河段和黄河下游东坝头以下河段的流向都是从低纬度流向高纬度，冬天结冰封河是溯源而上，春天解冻开河则是自上游至下游。每当春暖花开上游解冻开河时，下游往往还处于封冻状态。这样，上边流下的冰块，就常常被阻塞在尚未解冻的河段里，形成冰坝。河里的水位被冰坝壅高，若防御不力，就会决溢成灾，这就是"凌汛"。

三四月间，流域内的冰雪全部融化，黄河里的水量也逐渐增加。在这个时候，黄河下游常常会出现一个小洪峰，因为此时正逢桃花盛开，人们便称其为"桃汛"。

七八月间，黄河流域降雨最多，并且多为暴雨，黄河水量大为增加，常常会出现较大的洪水或特大洪水，对下游地区威胁很大。因为此时正值"伏天"，人们便称其为"伏汛"。

九十月间，黄河流域多数地区阴雨连绵，雨虽不急，但总水量很大。这时产生的洪峰流量一般没有伏汛时大，但延续的时间较长。因为下游的大堤不耐久浸，这样的洪水仍会对下游地区产生严重威胁。因这时已进入秋天，人们便称其为"秋汛"。

从黄河的四个汛期来看，伏汛和秋汛时间最长，危害性大，且两个汛期时间相连，又都是发生暴雨洪水的季节，合称"伏秋大汛"，简称"大汛"。我们平时所说的黄河汛期，指的就是这个时期。

黄河汛期的"七下八上"

"七下八上"是指7月下半月至8月上半月，这是黄河洪水的多发期。黄河洪水主要是暴雨产生的，据统计，1956年到1989年河口镇至龙门区间发生的33场大暴雨中，7月下半月至8月上半月发生的就有25次，占到76%。因此，"七下八上"成为历年黄河防汛的关键期。

凌汛决口，河官无罪

黄河凌汛突发性强，形成冰坝的位置难以预测，有可能造成多处出险。水位上涨快，一旦融冰形成阻水冰坝，破坏力巨大。加上冰封之地取土困难，冰坝破除难，一直无法有效解决黄河凌汛带来的威胁，因此历史上凌汛被视为人力无法抗拒的"天灾"。古代有"伏汛好抢，凌汛难防""凌汛决口，河官无罪"的说法。

从地图上看，黄河的流经路线像一个大大的"几"字，其中有两个明显的从低纬度流向高纬度的河段——宁蒙河段和黄河下游河段，这就让凌汛灾害成为黄河特有的最难防御的灾害之一。第一次明确记载的黄河凌汛决口发生在西汉。《汉书·文帝纪》中有"十二年（前168年）冬十二月，河决东郡（今河南濮阳县西南）"。

历史上，黄河下游凌汛决口频繁。铜瓦厢改道以后，1883—1936年的

黄河流凌

54 年中，就有 21 年凌汛发生决口。光绪九年（1883 年）"正月十四五日，凌水陡涨丈余，历城境内之北泺口一带泛滥二处。又赵家道口、刘家道口各漫溢一处……又齐河县之李家岸于十六日漫溢一处"，至二月，沿河 10 多个州县，漫口竟达 30 处。光绪十一年至十三年（1885—1887 年）凌汛期，山东河段连连决口，长清、齐河、济阳、历城等县受灾。光绪二十六年（1900 年）一月，山东滨州窄河道冰凌壅堵，形成冰坝，堤防接连决口 7 处，滨州惠民、阳信、沾化等地变成泽国。1926—1936 年，山东河段几乎连年有凌汛决口。

新中国成立以后，为防御凌汛，人们采取了多种措施，如在解冻开河前组织防汛队伍打冰撒土、炸药爆破、炮轰、飞机炸冰、修建减凌溢水堰等，虽取得了一定成效，但未能从根本上解除凌汛威胁。1951 年、1955 年黄河下游凌汛严重，加上大堤出现漏洞，抢护不及，也曾发生过凌汛决口。直到 1960 年三门峡水库建成后，利用水库进行水量调节，再配合其他防凌措施，先后战胜了多次凌汛洪水。

20 世纪 70 年代，为了预防武开河造成凌汛灾害，在利津刘家夹河河段实施冰凌爆破

黄河海勃湾水利枢纽

20 世纪 60 年代以前，宁蒙段河道年年都有不同程度的凌汛灾害发生。60 年代后期以来，青铜峡、刘家峡水库相继建成投入使用，对减轻宁蒙河段凌汛威胁发挥了很大作用。2014 年建成的黄河海勃湾水利枢纽工程，让内蒙古河段的防凌调度具备了较为完善的工程系统。

"武开河"和"文开河"

每年春季，当黄河上游融冰开河时，下游往往还处于封冻状态。上游大量的冰水涌向下游，形成较大的冰凌洪峰，极易在弯曲、狭窄河段卡冰结坝，壅高水位，造成凌汛灾害。

河流解冻期间，若气温升高很快或上游来水突然增加，会使河冰突然破裂，迅速解冻，这样的情况称为"武开河"。有的年份，上下游河段气温相差不大，河道分段解冻开河或就地解冻，没有形成大的凌汛洪水，开河也比较平稳顺利，称为"文开河"。

第二节　跳进黄河洗不清

"跳进黄河洗不清"是一句家喻户晓的俗语，比喻很难摆脱干系。其实，这一俗语原是一句歇后语：跳进黄河——洗不清。古人常以"黄水一石，含泥六斗""黄河斗水，泥居其七"等来描述黄河的多沙状况。而且，黄河的泥沙颗粒很细，有时河水甚至呈泥浆状态，沾在身上确实不易洗净，真的是跳进黄河洗不清。

多沙的秉性

黄河是世界上泥沙含量最多的大河。黄河水的平均含沙量为 35 千克/米^3，每年进入黄河下游的泥沙大概有 16 亿吨。如果把 16 亿吨泥沙堆成高 1 米、宽 1 米的土堤，其长度大约是地球到月球距离的 3 倍，可绕赤道 27 圈。世界上其他多泥沙的河流如孟加拉国的恒河，年输沙量达 14.5 亿吨，同黄河相近，但它的水量比黄河大，含沙量大约只有 3.9 千克/米^3，远小于黄河。美国科罗拉多河的含沙量约为 27.5 千克/米^3，略低于黄河，但年输沙量只有 1.36 亿吨。可见，黄河年输沙量之多，含沙量之高，在世界多沙河流中是绝无仅有的。

黄河水不仅泥沙总量很大，而且有三个特点，就是"水少沙多，水沙不平衡，水沙异源"。这就使它多泥沙的秉性更加突出，也让黄河变得更加难以驯服，被科学家称为"世界上最难治理的河流"。

水少沙多　黄河和长江相比，年输沙量约为长江的 3.7 倍，而年径流量只有长江的 1/20，所以"水少沙多"成为黄河最主要的特点。河水中泥沙含量高，就很难把泥沙输送到大海里，使得大量泥沙沉积在下游的河床上。根

多泥沙的黄河

据多年资料统计，在进入黄河下游河道的 16 亿吨泥沙中约有 4 亿吨淤积在利津以上河道内，约有 8 亿吨淤积在利津以下的黄河三角洲及滨海地区，只有大约 4 亿吨被输往深海。

水沙不平衡　水沙不平衡就是泥沙与水量的搭配很不均匀。一年之中，泥沙集中在汛期的几个月集中输送，汛期的泥沙又集中在几次洪峰里，几条多泥沙支流集中的程度更高于干流。黄河下游每年平均约有 4 亿吨泥沙的淤积主要是由一次或两三次洪峰造成的。一次较大的多泥沙洪水就可能在下游河道造成 4 亿吨以上泥沙的淤积，这种情况并不罕见，有的大洪水甚至能造成 10 亿吨以上泥沙的淤积。

水沙异源　黄河泥沙不但来源比较集中，还存在"水沙异源"的特点。黄河流经地区的自然条件差别很大，使得黄河水量和泥沙来源的地区分布很不均衡。河口镇以上的黄河上游流域面积为 42.8 万多平方千米，占全流域（不包含内流区）面积的 56.8%，来沙量仅占全河沙量的 8.6%，而来水量却占全河的 62%，是黄河水量的主要来源区。中游的河口镇至龙门这一段，流域面积有 11.2 万平方千米，占全河流域（不包含内流区）面积的 14.9%，水量只占 8.9%，但沙量却占全河沙量的 56%，是黄河泥沙的主要来源区。龙门至三门峡区间，水量占 19.4%，来沙量占全河沙量的 34%。三门峡以下洛河、沁河水量约占 9.4%，来沙量仅占全河的 1% 左右。

"揭河底"

　　"揭河底"是一种非常罕见的水文现象，也是多泥沙的黄河上独有的，主要发生在黄河中游龙门至潼关的小北干流河段。"揭河底"常常发生在洪水过后的落水期，看似平静的水面上，忽然像蛟龙出水一样竖起一道土墙，高达数米，随后涌动的水流将土墙推倒、打散，轰然坠入水中；或者是整片的河床淤泥像地毯一样被卷起来，漂浮在水面上，然后被水流冲散带走。因为这种现象看起来像是把黄河的河底一下子揭了起来，所以被人们称为"揭河底"。

2017 年 7 月 28 日合阳段发生的"揭河底"现象

黄色的基因

黄河在汉代以前叫"河"，名字里并没有"黄"字，这在司马迁的《史记》中有明确记载，《诗经》《春秋》中也都称其为"河"。黄河的名称第一次出现是在《汉书》中，就是那句非常有名的"使黄河如带，泰山若厉"。郦道元在《水经注》中将黄河称为"河水"。在唐代以前，人们一般把这条母亲河叫作"大河"，后世许多史书也都简称其为"河"，只是随着岁月的变迁，才普遍称为"黄河"。

虽然见于文献记载的黄河最初的名称还没有反映它的水色，但并不等于说它当时还是一条清澈的河流。西周时有一句谚语叫："俟河之清，人寿几何？"意思是说，人要活到不知多大的年龄，才能等到河水清澈。当时有些地方的黄河水可能还不那么浑浊，在《诗经》的《魏风·伐檀》中有"坎坎伐檀兮，置之河之干兮，河水清且涟漪"的诗句，这个"河"指的就是黄河。到了战国时期，战乱连连，水土流失也越来越严重。战国末年，黄河开始有了"浊河"的叫法，人们把浑浊视为黄河最显著的特征。

黄色的大河

这条从巴颜喀拉山北麓的冰峰雪原中发源的大河，向东流过广袤的黄土地以后就变成了一条黄色的泥河。而这条黄色的河又孕育了一个黄皮肤的人种。黄河、黄土、黄种人，有着一脉相承的神秘基因。

黄河为何如此多沙

每年进入黄河下游的泥沙平均有 16 亿吨，这些泥沙是从哪儿来的呢？

龙羊峡以上的河段，河网密度小，地表侵蚀轻微，水流清澈，含沙量很小。到兰州附近后进入黄土区域，才开始打上黄土地的烙印，河水含沙量明显增加，逐渐呈现出浑黄的水色。随着含沙量较大的大夏河和洮河等支流的汇入，黄河的年平均含沙量增至 3 千克/米^3，年输沙量 1 亿吨。

兰州以下，除祖厉河外，其余支流泥沙含量并不太高，银川平原和内蒙古河套平原的灌溉水渠又分流出一部分泥沙，所以在进入中游河段时，含沙量的增加有限，平均含沙量约 6 千克/米^3，多年平均输沙量只有 1.42 亿吨。

黄土高原水土流失

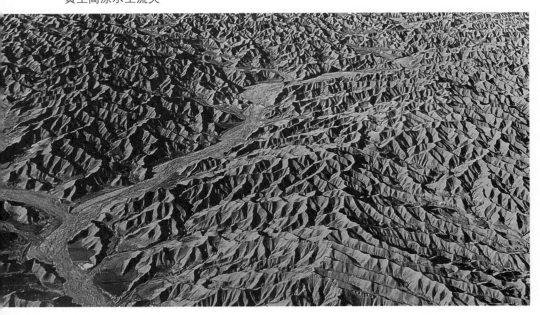

黄河下游的泥沙主要来自中游地区。黄土高原是世界上最大的黄土地带，堆积了厚达百米的黄土。黄土有颗粒细、孔隙多，含有钙质成分，垂直节理发育，极易遇水坍塌，耐冲性很差等特性。黄河在这一段左右逢源，接纳了众多的支流，这些支流都流经黄土高原腹地，每遇暴雨，便会把大量泥沙输入黄河，于是黄河干流的含沙量和输沙量就会迅速增大。

从多年平均情况来看，黄河有许多支流的含沙量要大大高于干流。例如，黄河的二级支流泾河（渭河支流），是黄河上输沙量最大的二级支流，年输沙量高达 2.62 亿吨；窟野河多年平均年径流量不到泾河的一半，年输沙量却超过泾河的一半，含沙量更大；延河多年平均年径流量不过 3.0 亿立方米，年输沙量却高达 4730 万吨；祖厉河多年平均年径流量更小，只有 1.53 亿立方米，可是年输沙量却比延河还高，达 5200 万吨。这些支流的含沙量都在 100 千克 / 米^3 以上，有的支流的含沙量超过干流 10 倍以上，而且这里所讲的都是平均值，若以某一时段的具体数值而论，那么当夏秋之际洪水到来时，含沙量时常会出现 600 千克 / 米^3 以上的情况。

流域内各省区以陕西省来沙量最多，约占全河含沙量的 41.7%；甘肃省次之，占 25.4%；山西省占 17.3%，居第三位。

黄河的泥沙去了哪里

每年进入黄河的泥沙平均为 16 亿吨。淤在下游河道内的泥沙使河床平均每年抬高 10 厘米左右，导致黄河下游成为著名的"悬河"；而冲入大海的泥沙，大部分淤积在河口附近的浅海区，平均每年造陆 20 多平方千米。土地是人类宝贵的资源，黄河这条天然的传送运输带，每年把那么多的泥沙搬运入海，填海造陆，创造了巨量的土地资源。可见，黄河的泥沙也是一种宝贵的资源。

第三节　三十年河东，三十年河西

"三十年河东，三十年河西"是一句民间谚语，比喻事物的盛衰兴替，感叹世事变化无常。而从地理的角度追溯其源，这里的"河东"特指山西省河津市禹门口至潼关河段的黄河东岸地带，"河西"指与"河东"相对应的黄河西岸地带。河东、河西之间是长达 132.5 千米的黄河小北干流河段。

"善徙"的黄河

黄河小北干流是一条界河，西岸是陕西省，东岸是山西省。咆哮的黄河冲出晋陕峡谷南端禹门口后，河面由百米骤然扩至数千米（最宽处达 19 千米），河水流速减慢，泥沙大量淤积，河道宽浅，水流散乱，主流游荡不定，最大摆幅可达 10 余千米。历史上这一段黄河河道极不固定，经常改道，某个地方原来在河的东面，若干年后因河水改道，会变为在河的西面，这样才有了"三十年河东，三十年河西"之说。最近的一次黄河改道发生在 1964 年，滔滔洪水一冲出河堤，就把河东 100 万亩滩地全部淹没了。当地百姓说这是"龙王"发怒，当然这是一种迷信的说法，发生这种现象只与黄河的高含沙特性和这段河床的形态有关。

黄河主流的摆动不仅发生在小北干流这里，历史上在上游的宁夏平原、河套平原这些地势平坦的地区也发生过主流摆动的情况，河套平原的乌梁素海就是黄河历史时期演变的证据。

几千年来，改道可以说是黄河最喜欢的"游戏"，所以才有了黄河"善徙"之说。尤其是黄河下游的华北平原，数千年来被黄河水患所侵扰。黄河在完全进入我国地势的第三级阶梯后，在一个很大的范围内，历史上曾不断改道，制造出一个个黄泛区，但也将华北平原的陆地范围不断向东推进。

大庆关的故事

在陕西大荔县朝邑镇东边的黄河西岸，有一个千年古渡口，春秋时期叫蒲坂渡，北宋时改名大庆关，是山西、陕西之间的重要渡口。唐开元年间，黄河东、西两岸各置有四尊铁牛为地锚，用铁索将舟船连接成浮桥——蒲津

用来固定蒲津浮桥的开元铁牛

浮桥，成为连接长安与北方边关重镇的要道，桥的东、西两端分别是蒲津关和大庆关。明清时期，大庆关逐渐发展成秦晋交通的枢纽，成为山西、河南货物入陕的重要渡口。明代在这里设置了巡检司、税课局，巡检司就相当于现在的公安派出所，税课局则相当于今天的税务局，可见当时商贸之繁华。

明隆庆四年（1570年）黄河发大水，河道主流西移，穿陕西朝邑（今大荔县）而过，黄河西岸的大庆关被冲毁，黄河河道也跑到了大庆关的西面。后来人们在大庆关遗址上又重建了大庆关。1926年黄河东移，多出几万亩河滩地，朝邑县县长上书北洋政府，建议招募河南、山东难民耕种，1929年分出朝邑、华阴两县的土地设置平民县，县城设在了河东岸的大庆关。平民县成为陕西唯一一个县城在河东的县。1931年发大水，大庆关淹没于水底，新大庆关迁至今平民村，20世纪50年代末，因修建三门峡水库，新大庆关才彻底荒废。

消失的"灵洲"

黄河走出上游最后一个峡谷青铜峡以后，就进入开阔而平坦的银川平原，河道平缓，流速下降，河道里的泥沙也容易沉积下来形成河中的沙洲。在现在的宁夏灵武市西南 6 千米外，曾经有一个被称为"灵洲"的河心洲，"水中可居者曰洲，此地在河之洲，随水高下，未尝沦没，故号灵洲"。这里不管水涨水落，从来没有被淹没过，成为天下奇观，又称"河奇"。

以灵洲为中心最早形成的城镇叫"富平"，据说由秦朝大将蒙恬所建。西汉时灵洲上又设置了一个与河洲同名的县，叫"灵洲"；东汉时改称"灵州"。到了唐代，黄河的主流西移，灵州城紧靠黄河东岸，河中的"灵洲"不复存在，与东南面的鄂尔多斯台地连成一片。到了明代，黄河又向东移，1384 年，黄河直冲灵州城，墙倒城毁，只好在旧城以北几千米之外重建新城。几十年后，黄河河道再度东移，灵州城不得不再一次迁走重建。到了清顺治初年，河道又一次东移，直冲灵州城下，人们采取在河西岸挖渠的办法来分流河水，不但保住了灵州城，还把河水引向西流。到了乾隆年间，黄河已西去灵州城十几千米。

大概是因为频繁地变迁，古灵州城的确切位置成了考古界和史学界的一个未解之谜。直到 2003 年 5 月，在宁夏吴忠市利通区郊区的唐墓群中出土了两块墓志碑，一块毁坏严重，字迹模糊，另一块却字迹清晰，明确记录了灵州城的位置，就在发现这片大型唐墓群的宁夏吴忠市境内。墓志铭的发现，解决了历史上很长时间难以定论的古灵州究竟在什么地方的问题。

黄河遗珠——乌梁素海

乌梁素海位于内蒙古巴彦淖尔市乌拉特前旗境内，地处呼和浩特、包头、鄂尔多斯三角地带的边缘，是黄河流域的第三大湖泊，水域面积 130 平方千

宁夏黄河上的沙洲

乌梁素海风光

米，素有"塞外明珠"之美誉，是地球同一纬度上最大的湿地。

乌梁素海是河套平原上黄河改道形成的。河套地区的黄河改道以截弯取直为主，就是在平原地区流淌的河流，随着流水对河岸的冲刷与侵蚀，河流愈来愈曲，在过度弯曲河段（大概像希腊字母 Ω 的形状）的狭颈处，由于狭颈两端水位差较大，有时可能被漫滩洪水自然冲决，水流改走直道。截弯取直后，原来弯曲的河道被废弃，形成湖泊，这种湖泊的形状恰似牛轭，所以称"牛轭湖"。乌梁素海就是黄河从北河主流改走南河以后，在北河河道上留下的牛轭湖。

乌梁素海的蒙古语意思是"杨树林"。黄河南迁后，这里曾经是生长杨树的低洼地。清末河套地区灌溉渠道开掘后，成为灌区排水的通道。20 世纪30 年代，黄河连年大水，进入乌梁素海的水量大增，逐渐成为方圆百里的大湖。

现在的乌梁素海南北长、东西窄，湖面上生长着茂盛的芦苇和蒲草，在浩瀚的湖水中生活着鲫鱼、草鱼、鲢鱼等 20 多种鱼，尤其以盛产黄河大鲤鱼而蜚声内蒙古。

黄河大堤里的"滚河"

黄河自郑州桃花峪以下便成为一条自由任性的地上悬河，使得在河滩土地上讨生活的村民对它爱也不是，恨也不是。

黄河下游桃花峪至高村河段是典型的游荡性河道，这一河段的河床宽浅，沙洲密布，水流散乱，分成多股岔流，其中有一股较大的属于主流。主流流向多变，摆动频繁，是游荡性河道的主要特征。

在 1954 年 8 月底的一次洪水中，开封市柳园口附近主流原来靠北岸，洪峰过后，主流开始南移，北岸淤出大片滩地。时过不久，主流又从南岸向北滚动，重新回到原来的位置。昼夜之间，主流南北来回滚动幅度达 6 千米。主流的剧烈游荡摆动，造成滩地大量坍塌，许多村庄掉入河中。从 20 世纪60 年代初到 70 年代初的 10 年间，花园口到陶城铺 300 多千米长的河段里，一共冲塌滩地 40 余万亩，冲毁 256 个村庄。有时候，夜里关门睡觉时，黄河还在你家后边，可早晨起来打开门，家门前忽然出现了一条大河，黄河就是这样神出鬼没。如果黄河游荡时恰好从一个村庄里穿过，这个村庄就会塌陷，掉到河里去了。

　　1973 年大汛期间，山东省东明县黄河滩区里发生了一件怪事：有一天，黄河涨大水了，洪水漫滩之后，正在黄河滩里放羊的两个牧羊人和他们放牧的羊群一起失踪了。村里派人四处寻找，也不见踪影。数天之后，当人们已经绝望之时，两位牧羊人竟赶着羊回村了。原来是"滚河"同牧羊人开了一个大玩笑。据两位牧羊人讲，黄河涨大水那天，他俩正在黄河南岸的黄河滩放羊，上游不远处黄河摆动，主流突然向南滚动，顷刻间就把他俩和羊群甩到了黄河以北，截断了回家的路，他们只好赶着羊群历时数日才绕道回到家。

长垣黄河控导工程

　　"滚河"给黄河大堤带来很大隐患。水利学家在河流模型上做试验发现，当花园口发生 22000 米^3/秒的洪水时，黄河北岸长垣和黄河南岸兰考、东明黄河滩区上，都可能发生"滚河"。"滚河"发生后，老河道淤死，原来的河道整治工程全都失去作用，水流顶冲大堤，顺堤行洪，极易出险，如果抢护不及时，就有决堤的危险。

　　近年，黄河下游开展了"二级悬河"治理，在长垣、东明、原阳等滩区上修建了专门的滚河防护工程，"滚河"局势也基本得到控制。

黄河下游的"地上悬河"

　　黄河下游河道，上宽下窄，坡度上陡下缓。由于大量泥沙淤积，下游河道逐年抬高，成为高悬于两岸平原之上的"地上悬河"。目前堤内滩面一般高出背河地面 4~6 米，部分河段高出背河地面 12 米。下游沿黄地区的城市均低于黄河河床，其中河南省新乡市地面低于黄河河床 20 米，开封市地面低于黄河河床 13 米，济南市地面低于黄河河床 5 米。

第三章

大河家族

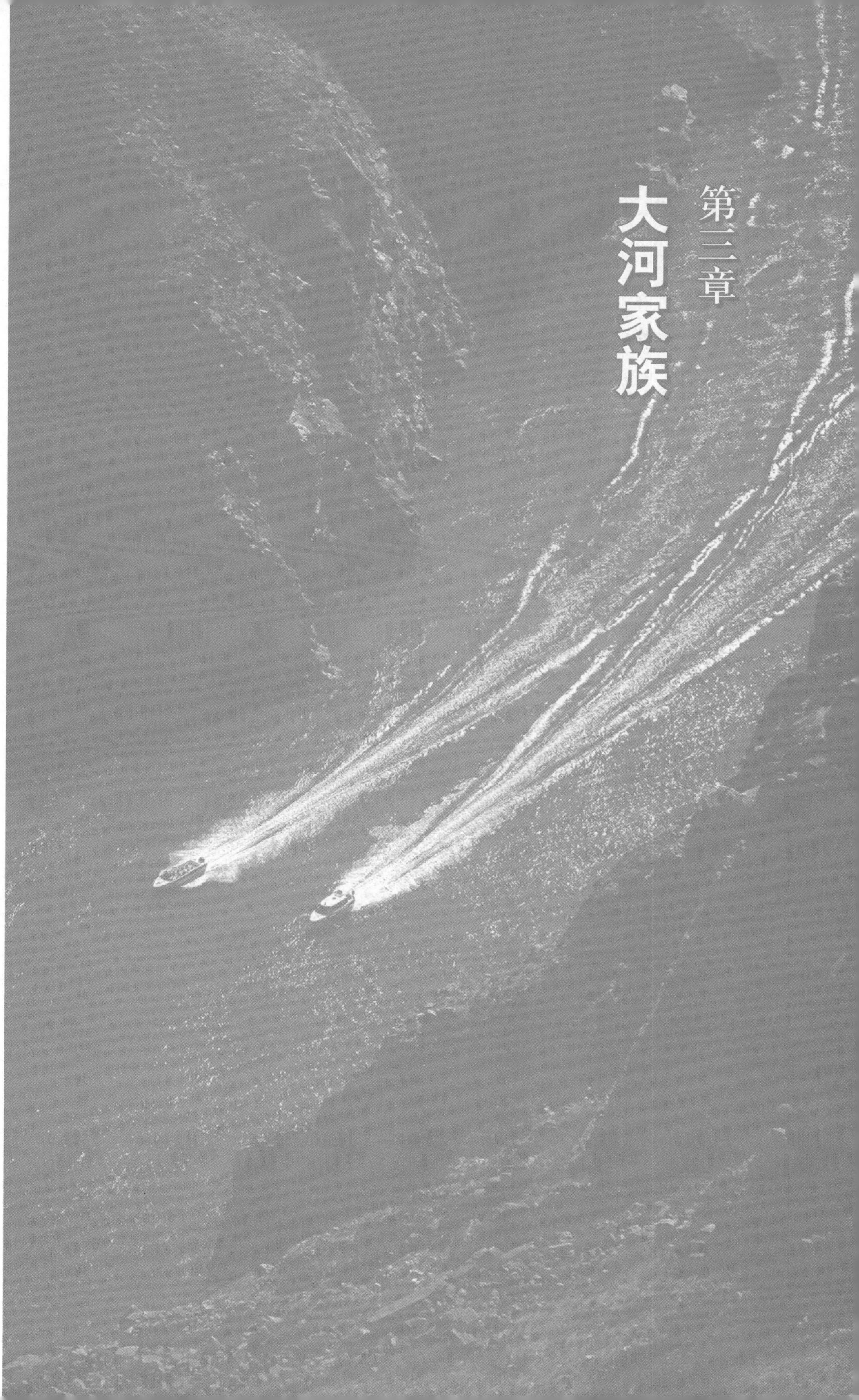

黄河在几十万平方千米的广阔流域里，有大大小小数千条河流汇入，形成了完整的黄河水系。这些支流就像黄河母亲的孩子，与黄河干流息息相关，血脉相连，共同组成黄河大家族。

第一节 黄河水系

黄河之水天上来

"君不见，黄河之水天上来，奔流到海不复回。"唐代大诗人李白《将进酒》中这一传诵千古的诗句写出了黄河源自天际、一泻千里、东流入海的雄伟气势。地理学家告诉我们，那"天上"就是人称"世界屋脊"的青藏高原。黄河从巴颜喀拉山北麓海拔约 4500 米的约古宗列盆地的涓涓细流，一路接纳百川，汇聚洪流，沿着我国三级阶梯的地势逐级而下，穿越峡谷，跨过高原，经青海、四川、甘肃、宁夏、内蒙古、陕西、山西、河南、山东九省区，在山东省垦利区注入渤海，干流全长 5464 千米，流域面积 79.5 万平方千米（包含 4.2 万平方千米的内流区），多年平均径流量 534.79 亿立方米，是我国第二大河流。

黄河像一条长龙，奔腾在中国的北部。这条长龙的不同部位，有着不同的特性，变化多端。按地理位置及河流特征，地理学家将黄河划分为上游、中游、下游三段，每个河段有着不同的特性。它的源头，涓涓细流，清澈见底；它的上游，激流澎湃，奔腾湍急；它的中游，泥流滚滚，水雾腾天；它的下游，惊涛拍岸，一泻千里；它的入海处，填海造陆，神奇壮观。

跨越三大阶梯的万里黄河

我国的地势西高东低，被地理学家分为三级阶梯。青藏高原是第一级阶梯，平均海拔在 4000 米以上，所以青藏高原号称"世界屋脊"。第二级阶梯是青藏高原边缘以东和以北的一系列宽广的高原和巨大的盆地，海拔在 1000~2000 米。第二级阶梯的东界是大兴安岭、太行山、巫山、雪峰山一线，此边界以东为第三级阶梯，多为平原和丘陵，也有些山岭，但实际海拔也不过 1000 多米。第三级阶梯大部分地区海拔在 500 米以下。

地势决定着水的流向，黄河就是自西而东穿越了我国的三大阶梯。三大阶梯的地形变化，直接影响着黄河的活动，塑造了不同地段黄河的面貌特征。当黄河在第一、第二级阶梯上流过时，这些地方海拔高，从总体上来看是受到流水侵蚀的地区，成为黄河中泥沙的来源地。加上地势变化很大，如从河源到内蒙古托克托，流程 3472 千米，落差 3840 多米；从托克托到禹门口，流程 700 多千米，落差 600 余米，所以蕴藏的水力资源特别丰富。当黄河流到河南桃花峪，进入最低一级阶梯时，河道突然开阔，而自此以下直至入海，再也不受峡谷的约束，水流的速度减缓，携带的泥沙一路上大量沉积，但每年仍有很多被带到河口，在那里填海为陆。

容汇百川东赴海

在数千千米的征程中，从黄河干流两侧陆续汇入了许多支流，不断为干流补充着水量。目前有统计资料的支流共 4000 多条，在直接流入黄河的支流中，流域面积大于 1000 平方千米的有 76 条。在上游河段，有湟水、洮河、祖厉河等；在中游，有大黑河、窟野河、无定河、汾河、渭河、洛河、沁河等；下游支流最少，较大的支流只有大汶河。

黄河支流分布的特点是左右岸分布不对称，而且沿途汇入疏密不均，致使全河流域面积分段增长速率差别很大。黄河左岸汇入支流较少，流域面积为 29.3 万平方千米；右岸汇入支流较多，流域面积为 45.9 万平方千米（不包含内流区面积）。

支流沿途分布情况是兰州以上较大支流有 31 条，多为产水较多的支流；

兰州至托克托间较大支流有 12 条，均为产水较少的支流；托克托至桃花峪段有较大支流 30 条，其中托克托至三门峡之间的支流为多沙支流，三门峡至桃花峪间的支流水量相对较多。桃花峪至入海口仅有大汶河、金堤河等 5 条支流汇入，而且多为季节性河流，水量、含沙量都很少。

黄河众多的支流不仅汇合形成黄河干流的滔滔巨流，而且这些支流最先为中华民族的祖先提供了适宜的生存环境，在这些支流上出现的远古文明，融入了中华民族历史悠久的文明长河。

黄河水系的面貌

黄河水系按地貌特征，可分为山地河流、山前河流和平原河流三个类型。这些不同类型的河流受复杂的地质构造、基岩性质与地表形态的影响，呈现出不同的平面形式，主要有以下几种。

树枝状：遍布于流域上中游地区，是流域内水系的主要形态。树枝状水系的特点是各级支流都以锐角形态汇入下一级支流或干流，形状如乔木树枝，有的如灌木树枝。例如，黄土高原区的众多支流大都是这种平面形态。

扇状：流域内的扇状河流主要是向心扇状，往往是多条河流同时向一点汇集，如折扇展开。黄河干流上有三个大的汇集点，分别是上游河段的兰州、中游河段的潼关和中游末端的郑州附近。另一类扇状与向心相反，呈放射状扇形，多在山区河流出峪口的冲积扇面上出现，一般规模都不很大。

辐射状：以某一高山为中心，河流向四周流去，呈辐射状。这类中心多分布在流域中心线部位，自西南向东北排列，分别有：青海黄南的夏德日山、甘肃定西的华家岭、六盘山的北端、陕西北部的白于山等。

第二节　黄河上游

　　内蒙古托克托县河口镇以上的河段为黄河上游。上游河段全长 3472 千米，流域面积为 42.8 万平方千米，占全河流域面积（不包含内流区面积）的 56.9%。上游河段总落差 3496 米；汇入的主要支流有白河、黑河、大夏河、洮河、湟水、祖厉河、清水河、大黑河等，径流量占全河的 62%；上游河段年来沙量只占全河年来沙量的 8.6%。这段河道的基本特点是水多沙少，河水较清，流量均匀，坡度大，峡谷多，水力资源丰富。

　　黄河上游根据河道的不同特点又可分为河源段、峡谷段和冲积平原三部分。

　　从黄河源头至青海龙羊峡以上部分为河源段。河源段从约古宗列曲开始，经星宿海、扎陵湖、鄂陵湖到玛多，绕过阿尼玛卿山和西倾山，到达龙羊峡。该段河流大部分流淌在海拔三四千米的高原上，河流曲折迂回，两岸多湖泊、沼泽、草滩，水质较清，水流稳定。扎陵湖、鄂陵湖海拔都在 4260 米以上，蓄水量分别为 47 亿立方米和 108 亿立方米，是中国两大高原淡水湖。青海玛多至甘肃玛曲间的大部分河段河谷宽阔，间或有几段峡谷。甘肃玛曲至青海龙羊峡区间，黄河流经高山峡谷，水流湍急，水力资源丰富。发源于四川岷山的支流白河、黑河在这一河段汇入黄河。

　　从青海龙羊峡到宁夏青铜峡部分为峡谷段。该段河道流经山地丘陵，在坚硬的变质岩地段形成峡谷，在疏松的砂页岩、红色岩系地段形成宽谷。这一河段有龙羊峡、积石峡、刘家峡、八盘峡、青铜峡等 20 个峡谷，峡谷两岸悬崖峭壁，河床狭窄，河道坡度大，水流湍急。这一段的贵德至兰州间是黄河上三个支流最集中的河段之一，有洮河、湟水等重要支流汇入，使黄河水量大增。龙羊峡至宁夏下河沿的干流河段是黄河水力资源的"富矿"区，

龙羊峡峡谷

也是我国重点开发建设的水电基地之一。

从宁夏青铜峡至内蒙古托克托县河口镇为冲积平原段。沿河区域大多为荒漠和荒漠草原，很少有支流汇入，干流河床平缓，水流缓慢，两岸有大片冲积平原，即著名的河套平原（这里指广义的河套平原，包括银川平原和内蒙古河套平原）。河套平原面积约 2.5 万平方千米，是著名的引黄灌区，灌溉历史悠久，自古有"黄河百害，唯富一套"的说法。

高原姊妹河——黑河与白河

白河、黑河是黄河上游四川境内的两条大支流，位于黄河流域最南部。两河分水岭低矮，无明显流域界线，而且流域特性基本相同，所以被称为"姊妹河"。黑河因两岸沼泽泥炭发育，河水呈灰色而得名。白河因地势较高，泥炭出露不明显，河水较清而得名。

黑河发源于红原与松潘两县交界的岷山西麓哲波山的洞亚恰，由东南流向西北，经若尔盖县，于甘肃省玛曲县曲果果芒汇入黄河，上距白河入黄口

黑河

白河在这里汇入黄河

95 千米。河道长 511 千米，流域面积 7719 平方千米。

白河发源于红原县查勒肯，自南向北，流经红原县，在若尔盖县的唐克镇附近汇入黄河，河道长 279 千米，流域面积 5497 平方千米，干流均为土质河床。唐克附近的白河宽 300 米，而黄河干流本身宽只有 200 米，常有人误把白河当成黄河干流。

白河和黑河流域地势东南高、西北低，按地貌形态可分为南部丘陵状高原区和北部河谷平原沼泽区，除上游丘陵区有较明显的河谷外，大部分河段河流都在盆地、沼泽间。两河均为土质河床，中下游河段河道坡度极为平缓，河流穿行于草甸、沼泽、湖泊间，河道呈蛇曲形，水系发育为湖串形，而且有很多遗留两岸的牛轭湖。流域内沼泽遍布，湖泊众多，湖沼面积共 4322 平方千米。

白河和黑河流域草场广阔，地势平缓，雨量充沛，但排水不良，致使土壤水分过多，经常处于饱和状态，而且日照强烈，有利于喜湿植物草丛的生长，不利于植物残体的分解，加速了泥炭的积累作用，也加剧了草原的沼泽化，使该区域形成了我国最大的泥炭沼泽地。

白河、黑河流域属大陆性寒温带气候区，地面高度在 3400 米以上。气候特点是"冬长、夏无、春秋短"，年平均降水量为 640~750 毫米，在黄河流域属于降水量较大的区域，但是很少下暴雨，加上地面沼泽对径流的滞缓作用，即使雨季也没有大的洪峰出现。两河水量丰沛，含沙量极少，平均每年每平方千米的产水量，白河为 32.7 万立方米，黑河为 24.1 万立方米，居黄河各支流前列。

白河和黑河为黄河补给了较多水量，使黄河从青海吉迈到甘肃玛曲的流域面积增加不到一倍，但年径流量却增加了 3 倍，达到 150 亿立方米，将近全河总量的 1/3。同时，白河和黑河含沙量很小，基本上都是清水，汇入黄河时海拔在 3400 米以上，蕴藏的水能巨大。

来自龙宫的泉水——洮河

　　洮河是黄河上游第二大支流，发源于青海、甘肃两省边境西倾山东麓，流经甘肃省碌曲、卓尼、临潭、岷县、临洮等县，在甘肃省永靖县汇入黄河刘家峡水库区，全长673.1千米，流域面积为25527平方千米。年平均径流量48.25亿立方米，水多沙少。在黄河各支流中，洮河年均水量仅次于渭河，居第二位，是黄河上游地区来水量最多的支流。

洮河汇入黄河刘家峡水库

　　洮河藏语称为"碌曲"，意思是"从龙王宫殿流出的泉水"。洮河干流自河源由西向东流至岷县后受阻，急转弯改向北偏西流，形如一横卧的"L"。根据自然特点，干流分为三段：岷县西寨以上为上游，河道长384千米，河谷开阔，地势平缓，两岸草原广布，水流稳定，水清见底，水流侵蚀微弱，河道比较稳定；西寨至临洮县的海奠峡为中游，河道长148千米，因受地质构造影响，褶皱严重，河道弯曲多峡谷，两岸分布森林、草原，植被良好，水源涵养能力强，含沙量低，河道水流逐渐加大，水流湍急，水力资源丰富；海奠峡以下为下游，河道长141千米，谷宽滩多，两岸为黄土丘陵，植被很差，水土流失较严重。

　　洮河流域地跨甘南高原和陇西黄土高原两大地貌单元，大致以西秦岭山脉分支延伸的白石山、太子山、南屏山一线为界，南部为甘南高原，北部属

陇西黄土高原。甘南高原即青藏高原的东北边缘部分，海拔 3500~4000 米，除有森林覆盖外，大部分为平坦开阔的草滩和山坡草场，牧草丰盛，宜于放牧，是洮河流域的牧业基地。陇西黄土高原处于黄土高原西部，海拔 1700~2400 米，黄土覆盖深厚，丘陵起伏，地形破碎，植被稀少，水土流失严重，是洮河泥沙的主要来源区。流域内河道所经之地多为较宽广的河谷盆地，气候适宜，水源条件好，宜于发展农业，是洮河流域农业生产的重要地区。

湟水与大通河

发源于青海省海晏县包呼图山南坡的湟水，是黄河上游最大的支流，河源高度 4200 米，向东流经湟源、西宁、乐都、民和等，沿途汇合大通河等支流，在甘肃省兰州市西达家川注入黄河，全长 374 千米，流域面积 32863 平方千米。湟水的河谷地带覆盖着一层深厚而肥沃的黄土，又因地处青藏高原的边缘，降水量较大，加上有河水可供灌溉，具有发展农业生产的良好条件，成为古代黄河流域农耕活动的最西部地区。湟水流域孕育出了灿烂的马家窑文化、齐家文化、卡约文化，养育了青海省 60% 以上的人口，被称为"青海的母亲河"。

湟水流域位于青藏高原与黄土高原的交接地带，整个流域处在祁连山褶皱带内。受地质构造的制约和水系发育的综合结果，形成了独特的"三山夹两谷"的地理景观。流域北界祁连山，南界拉脊山，中部的大坂山为支流大通河与干流湟水的分水岭。祁连山与大坂山之间为大通河狭长条状谷地，属高寒地区，山高谷深，林草繁茂，人烟稀少，水资源丰富，当地居民以放牧为主。大坂山与拉脊山之间的湟水谷地丘陵起伏，黄土深厚，人口稠密，居民以农业为主，农耕历史悠久，水资源短缺，水的利用程度很高。由此形成了在一个流域内干流和支流并行，而自然条件和社会经济条件迥然不同的两种地理景观。

如果从湟水和大通河交汇口向上算起，湟水河长约 316.6 千米，大通河河长约 601.0 千米，所以有人认为大通河是干流，湟水应为支流。由于地理条件优越，湟水干流谷地人类活动历史悠久，早在 4000 年前就有人类在这块土地上栖息。现代的湟水干流流域以约占青海省面积的 2.2%、耕地面积的 56%，养育着全省 60% 以上的人口，创造了全省 65% 以上的工农业产值。综合地理特征因素和历史文化因素分析，湟水流域的干流应为湟水，大通河是湟水的支流。

湟水流域的气候为典型的大陆性气候。由于流域地势西高东低，并有盆地、高山影响，所以气候垂直变化明显，且地域差异大。愈向上游气温愈低，降水量增大，蒸发量减小，多潮湿沼泽地。西宁地区歌谣"古城气候总无常，一日须携四季装。山下百花山上雪，日愁暴雨夜愁霜"形象地描绘了这一地区气候多变的特点。

湟水谷地

湟水流域的水资源利用有悠久的历史，可追溯至汉宣帝时。汉宣帝曾派遣赵充国屯田湟中，引水灌溉农田 6 万余亩。当时为了有利于屯田区的交通，还横跨湟水建桥约70座。至清乾隆年间，湟水两岸已有引水渠道约200条，灌溉农田38万亩。民国年间修建的西宁水电站，是当时黄河流域仅有的三个水电站之一。

日月山与倒淌河

沿湟水溯流而上，过了湟源县城再走40千米就是著名的日月山。日月山属祁连山脉，最高处海拔4877米。日月山山体由紫色砂岩组成，因而呈现赤红色，"远看如喷火，近看如染血"，在古籍中有"土石皆赤，赤地无毛"的记载，被古人称为"赤岭"。

历史上，日月山素有"草原门户"之称，日月山口历来是内地进入青藏高原、远赴西域和西藏的咽喉。在唐代，日月山还是大唐与吐蕃的分界线。当年，文成公主在一支庞大的送亲队伍的护送下，就是从日月山口进藏的。传说文成公主出发前，唐太宗特意命人制作了一面日月宝镜给她，并说在思乡时拿出日月宝镜照照，就能从中看到想念的亲人。当和亲队伍走到一处叫赤岭的山上时，文成公主站在山顶，东望长安，思乡之情油然而生。然而，她又猛然想到此去和亲的重任，随即将镜子摔碎于山头，以表此去的决心，赤岭也由此得名"日月山"。

日月山是青海省农、牧区的天然分界线：东侧为农业区，一派青稞吐穗、油菜花开的田园风光；西侧则是蒙古族、藏族等少数民族游牧的高原牧场。

日月山下有一条河由东南向西北注入青海湖，因通常河流都自西向东流，唯有此河向西淌，故名"倒淌河"。倒淌河自东向西流是因为大约100万年前，青海湖东面的日月山强烈隆起，拦截了青海湖的出口，迫使原来从青海湖向东流出的河流不得不向西流入青海湖，才形成了自东南向西北流的倒淌河。

黄河上游的苦水河——祖厉河

祖厉河是黄河上游含沙量较大的支流，由祖河、厉河汇集而成，祖厉河由此得名。祖厉河源出会宁县南华家岭，北流至靖远县入黄河。因流域内地层含盐碱较多，水味苦咸，又称"苦水河"。

祖厉河的上源厉河是甜水，支流祖河是苦水，祖河和厉河在会宁县城南汇合后，始称祖厉河，流经靖远县城西的红嘴子后注入黄河。全长 224 千米，流域面积 10653 平方千米。

祖厉河流域地表破碎，沟壑纵横，黄土裸露，植被稀少，水土流失严重，水少而含沙量大，泥沙主要是由降雨引起，暴雨导致流量、沙量暴涨暴落，是黄河上游含沙量较大的支流之一。

祖厉河

祖厉河中游属黄土墚峁沟壑地形，年降水量 450 毫米以下，植被少，河流切割至黄土层下的红土层后矿化度增高。祖厉河下游地势低平，河床宽浅，年降水量 300 毫米以下，几乎无支流汇入，河水矿化度大于 10 克／升，人畜不能饮用。

1973 年开始修建的靖会提黄电灌工程，引来了可以饮用的黄河水，解决了当地部分农业灌溉和人畜饮水问题。现在每年秋收时节，祖厉河两岸稻谷飘香，金风送爽，呈现出一派特有的田园风光，"祖厉秋风"也被誉为靖远八景之一。

"万水归托"大黑河

发源于大青山的大黑河，是黄河上游末端的一条大支流，干流长 226 千米，流域面积 15911 平方千米。大黑河从源头向西南方向流，经呼和浩特市到托克托县的河口镇注入黄河，这里也是黄河上游的终点。大黑河的发源地处在黄土高原东北部边缘，水土流失非常严重。每当汛期来临，暴涨的河水卷着泥浪翻腾而下，吞没沿岸房屋，冲毁良田。

大黑河的水系较为独特，包括东部的大黑河、西部的大青山诸支流及哈素海退水渠等三部分，同归于一个入黄口。大黑河水系的干支流在山区（包括丘陵区）都有固定河床，坡陡流急，进入平原后则无固定流路，多与灌溉渠道交织，水系混乱，排泄不畅。托克托是大黑河水系的唯一出口，大水之年，东、北、西三面高水压境，南面又受黄河水顶托，唯见一片汪洋，同归于托克托一处，素有"万水归托"之说。

大黑河的水沙主要集中在汛期，洪水多出现在七、八两个月，陡涨陡落。山洪暴发时，含有大量有机质的泥沙淤积在土默川平原，使之成为肥沃的土地。早在 200 多年以前，人们就已经开始引山区洪水淤灌农田，用来改造荒滩碱地。新中国成立后，引洪漫地面积不断扩大，由历史上的 11 万亩发展到 100 多万亩。现在土默川平原上，引洪漫地范围内，沿河道两岸都设有许多引水口门，每年汛期山洪暴发，群众都自上而下节节分流，使洪水和泥沙通过分洪口门分散在川台河滩之上，肥田改土，到下游灌区已是水少地多，不够引用了。自 1968 年以来，除个别大水年外，大黑河的洪水很少流入黄河了。

第三节　黄河中游

　　自内蒙古托克托县河口镇至河南郑州桃花峪的河段为黄河中游，全长1122千米，总落差890米，流域面积为34.4万平方千米。浑河、皇甫川、窟野河、无定河、延河、汾河、北洛河、泾河、渭河、伊洛河、沁河等主要支流都在此段汇入黄河，区间增加的水量占黄河水量的37.6%，增加沙量占黄河含沙量的91.4%，是黄河泥沙的主要来源。这段河道的基本特点是，夏秋季水多沙多，冬春季水少沙少，汛期洪峰迅猛，水位陡涨陡落，挟带大量泥沙，是下游洪水泥沙的主要来源。

　　这段河道上下都是峡谷河段，中间较为开阔。河口镇至禹门口是黄河干流上最长的一段连续峡谷——晋陕峡谷。这里是黄土高原的中心地区，河段内的支流绝大部分流经黄土丘陵沟壑区，水土流失严重，是黄河粗泥沙的主要来源，全河多年年均输沙量16亿吨中有9亿吨来源于这里。该河段坡度很大，水力资源丰富，是黄河第二大水电基地。峡谷下段有著名的壶口瀑布，深槽宽仅30~50米，枯水期水面落差约18米，气势宏伟壮观。

　　在禹门口至三门峡区间，黄河流经汾渭平原，河谷展宽，水流缓慢。该河段接纳了无定河、汾河、渭河、伊洛河、沁河等重要支流，是黄河下游泥沙的主要来源之一，多年年均来沙量5.5亿吨。该河段禹门口至潼关（即黄河小北干流）的132.5千米河道冲淤变化剧烈，河道左右摆动，很不稳定。该河段潼关附近受山岭约束，河谷骤然缩窄，形成宽仅约1000米的天然卡口。潼关河床的高低与黄河小北干流、渭河下游河道的冲淤变化有密切关系，故此有"潼关高程"这一水文术语。

　　三门峡以下又进入峡谷，这是黄河干流上的最后一段峡谷，至八里胡同、小浪底等处，河面仅宽数百米。小浪底以下，河谷渐宽，是黄河由山区进入平原的过渡地段。出孟津以后，南岸邙山为黄土丘陵，北岸只有低矮的清风岭，桃花峪以下即进入一望无际的华北平原。

晋陕峡谷

窟野河与皇甫川

窟野河、皇甫川是黄河众多支流中产沙多、粗颗粒泥沙也多的两条支流。

窟野河发源于内蒙古自治区伊金霍洛旗境，东南流入陕西省神木市与悖牛川相汇后称"窟野河"，在贺家川附近注入黄河，干流长 242 千米，流域面积 8706 平方千米。流域地貌类型主要有风沙区和黄土丘陵沟壑区。风沙区位于流域西北部，地势平缓开阔，植被稀疏，人烟稀少，以畜牧业为主；黄土丘陵沟壑区位于流域东南部，地面支离破碎，沟壑纵横，水土流失极为严重。

窟野河

　　皇甫川在窟野河以北，发源于内蒙古自治区准格尔旗北部的点畔沟，由西北向东南流经准格尔旗沙圪堵镇，于陕西省府谷县汇入黄河，其入黄河口在窟野河入黄河口上游 123.5 千米。干流长 137 千米，流域面积 3246 平方千米。

　　皇甫川与窟野河同属于黄土丘陵沟壑区第一副区，是黄河流域水土流失最严重的区域。其地貌类型大致有三种：①砒砂岩丘陵沟壑区，分布在沙圪堵以上干流以西地区，面积 863 平方千米，占全流域面积的 26.6%，水土流失极为严重。②沙质黄土丘陵沟壑区，分布在沙圪堵以上干流以东及支流十里长川中上游西部地区，面积 598 平方千米，占全流域面积的 18.4%，水土流失相对较轻。③黄土丘陵沟壑区，广泛分布于流域的中下游及支流十里长川以东地区，面积 1785 平方千米，占全流域面积的 55%，水土流失严重，但轻于砒砂岩地区。

　　据实测资料，窟野河年平均径流量 5.54 亿立方米，年平均输沙量 1.38 亿吨，平均含沙量 249 千克／米³，为黄河平均含沙量的 7 倍多。这样的高含沙水流，特别是粗沙含量很高的水流，是黄河下游河道淤积的主要原因。

窟野河流域有丰富的优质煤资源。据地质勘探部门查明，内蒙古南部与陕西北部接壤地带，煤炭资源十分丰富，其中神府东胜煤田是我国已探明的最大煤田，而且这些矿区的煤炭具有埋藏浅、易开采、煤质优等特点。

"小黄河"无定河

无定河是黄河晋陕峡谷河段的最大支流，也是一条著名的多沙河流。它发源于陕西省定边县白于山北麓，干流长 491.2 千米，流域面积 30261 平方千米，其中水土流失面积 29893 平方千米，主要流经内蒙古自治区鄂尔多斯市和陕西省榆林、延安两市。

无定河

无定河干流河道从河源到河口流向三变，先东北，后转东，再转东南，呈无底梯形，走势与黄河极为相似。实际上，无定河不仅与黄河"形似"，而且"神似"。无定河流域北部是著名的毛乌素沙漠，南部是黄土丘陵沟壑区，地形破碎，水土流失严重。湍急的河水，平均每年挟带着 1.27 亿吨泥沙注入黄河。

无定河上游红柳河一带，两岸冲刷、坍塌十分严重，河水特别浑浊，蒙古语称之为"萨拉乌苏河"，翻译成汉语就是"黄色的水"。无定河的河床不断被泥沙淤积抬高，水流忽东忽西来回摆动，人们曾形象地把这种景象描绘为"无定，无定，河身移动，今日河西，明日河东"，无定河因此而得名。

无定河流域地处陕北黄土高原与内蒙古鄂尔多斯高原的毗邻处，古时自然条件比较优越，适宜人类居住。在旧石器时代，这里就有了人类活动的遗迹。著名的萨拉乌苏人（即河套人）化石就是在这里发现的，它在中国古人类发展史上具有重要的地位。在十六国时，那里仍然"临广泽而带清流"，是一片水草肥美的草原。东晋末年，匈奴赫连勃勃称天王，建大夏国，征10万人在此修建都城，定名为"统万城"。此后很长的时间里，统万城一直是北方的重镇之一。

无定河流域的榆林、靖边、绥德等地是历代军事重镇。2000多年前，秦始皇的太子扶苏和大将蒙恬曾驻守在今绥德城一带。唐朝大将郭子仪、宋朝名将狄青，也先后领兵在无定河一带屯垦。

新中国成立后，党和政府对无定河流域开始了全面治理。1950年，建成织女、定惠两条灌溉渠道，同时设立了水土保持科学试验研究机构，选择辛店沟、韭园沟进行水土保持措施和小流域综合治理试验，在全流域形成了一个以水土保持为中心的治理高潮。1982年，无定河流域被列为全国8个水土保持重点治理区之一，国家对其给予重点扶持。

韭园沟小流域综合治理

统万城

　　东晋末年，在鄂尔多斯草原南部的边缘地带，出现了一个由匈奴建立的王朝，国号"大夏"。407年，大夏国的开国皇帝赫连勃勃自称大单于，建元龙升元年，设置百官。赫连勃勃占据河套、关中以后，并没有把统治中心放在长安，而是征发民众十万余人，花了整整七年的时间，在朔方水（今陕西省靖边县北的无定河）北、黑水（今内蒙古乌审旗南的纳林河）以南，修筑了一座宏伟、坚固的城池，并命名为"统万城"，就是"统一天下，君临万邦"的意思。史书记载，统万城"色白而牢固""坚硬紧密如石"，远处眺望，白色耀人眼，当地老百姓也称这座城为"白城子"。隋唐以后，由于连年战乱，这里的森林草原被破坏，自然环境逐渐恶化。唐代诗人有"茫茫沙漠广，渐远赫连城"的诗句，说明当时这里已经是流沙遍野的沙区。

统万城遗址

第二大支流汾河

汾河，古称"汾"，又称汾水，是黄河的第二大支流。汾者，大也，汾河因此而得名。

汾河发源于山西省北部管涔山，流经晋中和晋西南地区，在万荣县荣河镇庙前村汇入黄河，全长 694 千米，流域面积 39471 平方千米。因受黄河淤积摆动影响，汾河入黄河口的位置多次变化，上下移动在河津市湖潮村到万荣县庙前村之间约 26 千米范围内。

涑水河是一条较小的河流，也是黄河一级支流，其流域位于山西省南部的运城市境内，人们常把汾河与涑水河流域合称为汾涑流域。汾河和涑水河都没有较大的支流，距今约 10 万年前，吕梁山脉、太行山脉和中条山脉植被茂密，气候温暖湿润，山前地带有众多的溪流和清泉，又有连续的台地分布，非常适宜人类生存繁衍。著名的丁村人遗址就位于汾河下游河畔的高台地上，属我国北方重要的旧石器时代遗址。新石器时代各个时期，包括仰韶文化、龙山文化的遗址在汾涑流域的数量都非常多，中华民族的祖先在汾涑流域一脉相承，延续不断。

传说尧、舜、禹都曾以汾涑流域为活动中心。尧、舜都曾建都于平阳，大致位于今临汾市附近。早在北魏时期，这里就建有尧庙，现在临汾市还有尧陵，在太原南清徐县有尧庙。这里的尧庙历代不断修缮，现在成为具有重要历史价值的古建筑和文物古迹。"舜耕于厉山"的故事在晋南地区妇幼皆知。相传大禹建都于安邑，安邑位于晋西南的运城市东北。在运城市的夏县境内，仍有"禹王城"的地名。考古工作者在夏县境内发现了夏代遗址和大量夏代文化遗存。这些都说明晋西南地区可能曾是夏代的政治中心。

汾河下游曾经是商代的政治中心。商代祖乙帝把都城迁到汾河下游的耿，耿大致位于龙门之南的黄河东侧，今河津市南部。汾河下游的侯马盆地，是春秋时期晋国的政治中心。晋国正是通过在汾河下游地区的经营，雄霸山西高原，在晋文公时期成为诸侯国中的强国。

　　汾河中游的太原盆地又称"晋中盆地"，是山西省人口的主要聚集区、晋商故里。晋商与潮商、徽商并称中国历史上"三大商帮"，经营盐业、票号等商业，尤其以票号最为出名。晋商还为中国留下了丰富的建筑遗产，著名的有乔家大院、常家庄园、曹家大院、王家大院。盆地北端的山西省省会太原市古称晋阳，"控带山河，踞天下之肩背""襟四塞之要冲，控五原之都邑"，是一座有 2500 多年建城历史的古城。

最大的支流渭河

　　渭河源出甘肃省渭源县鸟鼠山，东流至潼关县，全长 818 千米，流域面积 134766 平方千米，是黄河最大的支流。渭河年均径流量 92.5 亿立方米，年均输沙量 4.43 亿吨，是向黄河输送水、沙最多的支流。

　　渭河拥有众多的支流，北侧有葫芦河、千河、漆水河、泾河、石川河、洛河（又称北洛河）等。发源于六盘山的泾河流经黄土高原，挟带大量泥沙，水量变化大。当泾河于陕西省西安市高陵区注入渭河后，在洪水季节可以明

"泾渭分明"现象

显看出，两水汇流处形成清浊分明的一道界线。"泾渭分明"的成语，就源于此。

渭河的两侧排列着两级阶地，阶地上散布着许多因风力积尘形成的黄土台塬，著名的有北岸的周原、洛川塬、董志塬，南岸的白鹿塬、少陵塬、乐游塬等。周原是周文化的发祥地和灭商之前周人的聚居地，周人曾在这里定居，从事农业生产，后势力壮大，再东移至西安市长安区的丰京和镐京。

渭河平原又称"关中平原"，是周、秦、汉、唐等朝代的政治、经济、文化的中心区域。西安古称"长安"，是古"丝绸之路"的起点，历史上先后有十多个政权在此建都，长达千年之久。

渭河

八百里秦川

关中平原东宽西窄，东西长 300 多千米，面积达 52990 多平方千米，号称"八百里秦川"。经渭河、泾河和北洛河等河流冲积，土壤肥沃，农产富饶，是我国农业生产发展较早的一个地区。我国古代文献里就把关中盆地的土壤列为上上等，有"土膏""陆海"

之称。

关中平原是我国水利事业发展得最早的地区之一。该地区兴建得最早、也是最大的引水工程是郑国渠，它虽是春秋战国时期七国争雄政治斗争的产物，但郑国渠的修建使关中地区的农业生产有了很大的发展，为秦始皇统一六国提供了丰富的粮草。

关中平原

洛河与伊河

洛河，古称雒水，是黄河三门峡以下河段最大的支流，干流长447千米，流域面积18881平方千米，发源于陕西省渭南市华州区西南与蓝田县、临渭区交界的箭峪岭侧木岔沟，在河南省巩义市注入黄河。伊河是洛河最大的支流，古称伊水。为了与陕西省境内渭河支流北洛河相区别，20世纪50年代初期曾将伊河入洛河口以下的37千米河段称为伊洛河。

洛河是中原地区重要的河流之一，滋润着中原文化的发展。相传大禹在这里治水时，洛水里出现过一只神龟，背上负着一种奇特的龟背文，记录了有关八卦方位的密码，世人称之为"洛书"，与另一部"河图"并列为中国历史上最神秘的图案。神龟将"洛书"献给大禹，大禹依此治水成功，并将天下划分为九州。

禹在公元前2070年建立夏朝，标志着中华民族跨入了文明社会的门槛。在洛阳东面偃师二里头夏文化遗址，经过考古学家多年的发掘和研究，证实那里曾存在一个以高耸的宫殿为中心的建筑群，是夏朝早期的都城遗址。

伊洛河流域是夏族的活动中心，史称"有夏之居"。传说大禹当年在治水时，曾从熊耳山开始疏导洛水，使之流向东北，与涧水、瀍水汇合，再向东与伊水汇合，向东注入黄河。伊水通过洛阳市南的伊阙时，受到两侧夹峙的香山、龙门山（又称伊阙山）的阻挡，宣泄不畅，常泛滥成灾。禹凿开山口，伊水才得以畅通无阻地向下宣泄。伊阙又称龙门，据传就是禹凿龙门的地方。伊水岸边峭壁上的龙门石窟，历经10多个朝代长达1400余年的陆续营造，

南北长达 1 千米，是世界上造像最多、规模最大的石刻艺术宝库。

洛河流域地势西南高、东北低，西有华山，北有崤山与黄河干流为界，南有伏牛山和长江水系分水，中部熊耳山为伊河、洛河的分水岭。年平均降水量由东北部的 500 毫米增至西南部的 1100 毫米，且年内分配不匀，约有 60% 的降水集中在 7~10 月的汛期，多以暴雨形式降落，往往引起较大洪水；只有 30% 的降水在 3~6 月，常有春旱发生。

洛河是黄河流域水多沙少的支流之一，年均径流量 28.33 亿立方米，而输沙量只有 0.12 吨。洛河支流众多，呈羽状排列，大多流程短、坡降陡，水流湍急，一旦发生洪水，来势很猛。洛河的洪水是黄河三（门峡）花（园口）间洪水的主要产区之一。根据对多次较大洪水资料的分析，洛河洪水的洪量平均占三花间洪量的 60%，最多可达 70%，而洛河流域面积则只占三花间流域面积的 45.4%。因此，在洛河流域采取防洪措施，可有效控制黄河三门峡以下的洪水。

新中国成立后，政府先后建成了伊河上的陆浑水库（1965 年建成）、

伊水岸边的龙门石窟

洛河上的故县水库（1992 年建成）两座大型水库和 10 座中型水库。陆浑、故县两座水库的建成，控制了洛河洪水的主要来源区，不但对洛河本身的防洪、灌溉有显著成效，而且配合三门峡水库和小浪底水库，对调节三花间的洪水和削减洪峰都有重要作用。

故县水库

"地上" 的沁河

沁河发源于山西省平遥县黑城村，自北而南过沁潞高原，穿太行山，自济源五龙口进入冲积平原，于河南省武陟县向南流入黄河，是黄河中游最末端的一条大支流。全长 485 千米，流域面积为 13532 平方千米。沁河下游的冲积平原区分布于济源五龙口以下，有灌溉之利，也有出现洪灾的威胁。沁河下游河道两岸筑有大堤，全长 150 多千米，河床高出两岸地面 2~4 米，武陟县木栾店附近甚至达到 7 米以上，与黄河下游河道相似，也是 "地上悬河"，历史上决口泛滥频繁。

　　沁河流域呈阔叶状，地形北高南低，北部海拔 1100~2000 米，南部海拔 700~1000 米，五龙口以下冲积平原海拔 100~150 米。流域内大部分为山区，河道两岸峰峦重叠，沟壑交错。支流丹河流经的高平、晋城一带为泽州盆地，是流域内工农业生产和经济文化集中区。

　　在黄河中游诸多支流中，沁河是水多沙少的支流之一。据武陟水文站实测，多年平均径流量 13.0 亿立方米，多年平均输沙量 0.05 亿吨。三花间洪水是黄河下游洪水来源区之一，如 1958 年、1982 年的大洪水都是这一类型。沁河流域面积占三花间流域面积的 32.5%，是三花间洪水的主要来源区之一。为此，我国政府在 1949—1983 年间对沁河大堤进行了三次加高培厚，并在沁河与黄河汇流的夹角地带开辟滞洪区，蓄滞沁河超标准洪水，以确保沁河大堤特别是北大堤不决溢。

沁河上游

第四节　黄河下游

河南郑州桃花峪以下的河段为黄河下游，河长 870 千米，流域面积仅 2.3 万平方千米；下游河段总落差 94 米，区间增加的水量占黄河水量的 0.4%。

下游的黄河穿行于平原地带，地势平缓，河道宽浅散乱，多年淤积的泥沙，使黄河河床不断增高，人们不得不靠修建河堤来保证黄河河水留在河床内。这样年复一年，河堤越修越高，河床也就越来越高，最终河水高出了堤外的地面，成了名副其实的"悬河"。黄河被约束在大堤内成为海河流域与淮河流域的分水岭。也正是这个原因，从郑州西北的桃花峪开始，直到黄河河口，除大汶河外，再也没有较大支流汇入。

下游河段除南岸东平湖至济南为低山丘陵外，其余全靠堤防挡水，堤防总长近 1400 千米。历史上黄河下游地区人们饱受洪水之苦。黄河下游河道变迁的范围，西起郑州附近，北抵天津，南达江淮，横扫整个华北平原，其剧烈程度，在世界上是独一无二的。

桃花峪至高村河段长 206.5 千米，两岸堤防一般相距 5~14 千米，最宽达 24 千米，是典型的游荡性河道。据调查，1949—1958 年郑州至孙口河段每年平均塌失滩地 53 平方千米，其中绝大部分在高村以上。

高村至陶城铺河段长 165 千米，堤距 1.5~8.5 千米，主槽摆动的幅度较游荡性河段小，一般在 3~4 千米，属于游荡性河道与弯曲性河道之间的过渡性河段。

陶城铺至利津河段长 310 多千米，两岸堤距 0.4~5 千米，险工、控导工程鳞次栉比，防护段长占河长的 80%~90%，河势已得到基本控制，平面变化不大，属于弯曲性河道。

利津以下为黄河河口段。河口区平均每年承受泥沙近 10 亿吨，淤积延伸速度很快，入海流路很不稳定，常常摆动改道。目前，黄河的入海口位于渤海湾与莱州湾交汇处，是 1976 年人工改道清水沟后的新河道。

黄河下游河道

汶水西流

大汶河是黄河入海前最后一条大支流，也是黄河下游唯一的大支流。我国地势西高东低，自古以来，大江小河大都自西向东滚滚而流。然而，位于山东省泰山南面的大汶河，却出现了"汶水西流"的奇观。

大汶河发源于山东省中部沂源县境内，迂回西流，流经泰安市的新泰市、泰山区、岱岳区、宁阳县、肥城市、东平县，注入东平湖。大汶河分北支牟汶河和南支柴汶河，以北支牟汶河为主流，交汇于大汶口东。大汶口以上为汶河上游；大汶口至戴村坝为中游，称大汶河；戴村坝至东平湖为下游，称大清河，由东平湖经清河门、陈山口出湖闸入黄河。干流河道长 239 千米，流域面积 9098 平方千米，多年平均径流量 13.7 亿立方米，输沙量只有 0.01

东平湖出湖闸

亿吨。

大汶河，古称汶水。早在《诗经》中就有"汶水汤汤，行人彭彭"的咏吟。南北朝郦道元在《水经注》里记载有："汶水出县西南流，又言自入莱芜谷，夹路连山百数里，水隍多行石涧中。"

与黄河其他的大支流相比，大汶河是一条相对较小的河流，但它流经的大汶口地区土质肥沃，加上有河水的滋润，为人类的生存提供了优越的环境。著名的新石器时代大汶口遗址就是在这里发现的。北依泰山、南邻汶水、地势平坦、林茂草肥的大汶口盆地，是大汶口文化的发祥地，也是东夷文化的一部分。东夷族群著名的部落首领太昊伏羲氏，不仅在太昊之墟上创建了大汶口文化，而且将其发扬光大，向外影响或同化了周围的其他文化。

大汶河流域的北缘矗立着"五岳之尊"的泰山，其主峰天柱峰海拔1545米，日出云海更是千古一大奇观。自秦始皇开始到清代，先后有13代帝王登泰山封禅或祭祀，历代名家也几乎都到过这里，历史遗迹极为丰富。

以大汶口为中心的鲁西地区还是儒家文化的发源地，儒家学派的创始人孔子就诞生在距大汶河不远的泗水之滨的曲阜。距离曲阜不远的邹县是另一位大思想家孟子的故乡。此外，京杭大运河开通后，大汶河还为大运河的济州河段提供了水源。

戴村坝

戴村坝位于大汶河与大清河的分界处，整个大坝由石坝、窦公堤和灰土坝构成，全长1599.5米，主要功能是引汶水济京杭运河，确保京杭大运河的南北贯通。

元代开挖的京杭大运河山东段因水源不足而漕运不畅。明永乐九年（1411年），明成祖朱棣诏令工部尚书宋礼等督工疏浚运河。当时从济宁到临清的运河地段多丘陵、地势高，"河道时患浅涩，不胜重载"。宋礼采纳了民间治水专家白英提出的"引汶绝济"的建议，破除元代堽城坝，建戴村坝拦汶水入小汶河南下，流向南旺运河最高处，再分水南北。从此，妥善地解决了丘陵地段运河断流的现象，使船只在运河畅通无阻。

　　戴村坝被誉为"中国第一坝"，并于 2014 年被列入世界文化遗产。

戴村坝

第四章

大河之源

黄河是中华民族的摇篮，在古人的心目中，黄河之水来自神圣的天际，那是一个神秘而美丽的地方。因此，黄河的源头历来为世人所向往。黄河的源头究竟在哪里？对于今天的人们来说，这个问题并不难回答。可是，我们的祖先却为此苦苦探求了2000多年。

第一节　"昆仑墟"的传说

河出昆仑

《山海经》是一部古老而又神秘的著作，很多人都把它当作记述奇异古怪的神话传说来读，其实这部书包含了我国最早的地理著作之一《山经》。《山海经》里有这样的记载：昆仑墟在西北……河水出其东北隅。这里的"河"就是黄河。但是，这个"昆仑"在何处，当时并不清楚，后来也无人去考察证实。

昆仑，古书中或称为"墟"，或称为"丘"，总之是隆起在大地上的一个巨大山体。据说高有一万一千里（《水经》）；还有说比平地高出三万六千里，比日月还高的（《十洲记》）。那广度也很大，周长有说三千里，还有说万里的。《山海经》里也记载：昆仑之墟方八百里，高万仞……面有九井，以玉为槛；面有九门，门有开明兽守之，百神之所在。这样神奇的地方自然只有神仙才能居住。相传，昆仑山的仙主是西王母，在众多古籍中记载的"瑶池"便是昆仑河源头的黑海。

在上古时代，位于青藏高原东北边缘的日月山被认为是人类世界的边界，越过这里，就意味着离开了人的世界，进入了神的地界。公元前998年，周朝的第五位帝王姬满（也就是周穆王）驾驶着八匹骏马牵引的车驾，带着大队人马越过此地一路向西，最后登上昆仑山的最高峰，到达了西王母的领地。从此，美丽的"周穆王相会西王母"的故事便在中国广泛流传。

在一座战国古墓中，发掘出了记载这次西巡的竹简《穆天子传》，只是历史学家怎么也搞不清楚，这位帝王当年是怎样率领五万大军完成这次旅行的。《穆天子传》中讲述了周穆王经过"群玉之山"，命六师在此地采集玉石。

后世有人认为，这个"群玉之山"指的就是昆仑山。到了西汉，张骞出使西域，来到于阗一带流出的和田河边，便认为这里就是黄河的源头。汉武帝根据张骞的见闻，把和田河的源头山脉命名为昆仑山。昆仑山终于从一个传说，被确认为一个真实的地方。

"星宿海通天"的传说

相传，汉武帝派张骞出使西域，顺路寻找黄河源头。张骞在昆仑探源中，一天晚上梦到自己正在黄河上，乘木筏子溯河而上，竟进入天河。见河边有一片城郭，进入室内，见一女子正在织机上织锦，织出的锦帛灿烂如五彩云霞，绝非人间所有，才知道自己已来到天界银河，见到的就是织女。织女十分热情地接待了这位汉朝使者，张骞返回时，织女还赠他一块织机石。张骞醒后，发现怀中真的揣着织机石。张骞返回长安，将织机石献给汉武帝，还将寻找黄河源头、到银河、遇织女、获赠织机石的经过禀报了汉武帝。从此，便有了黄河源头与天上银河相通的传说。这个故事记录在南北朝时期一本叫《荆楚岁时记》的古籍里。

到了元代都实探得"星宿海"为河源后，人们附会张骞的传说，认为"星宿海"与天相通，就是天上银河的一部分。诗人在提及黄河源的诗歌中常用"星槎"或"张槎"等典故。星槎，就是往来于天河的木筏。

"导河积石"与黄河重源说

跟《山海经》差不多同样古老的一部地理著作《禹贡》中有大禹"导河积石，至于龙门"的记载。书中只说大禹治理黄河的起点在积石山，而没有明确黄河究竟从哪里开始。这个积石山指的也不是今天青海省内的那个积石山（阿尼玛卿山），而是甘肃省临夏西北的积石山，通称"小积石山"。这样，黄河上游在《禹贡》中还有很长一段未被记载，河源就更没有确定了。

关于黄河的源头，《水经注》里面记载了一种说法，认为积石山只是黄河的两个源头之一，这就是在古代流传了很长时间的"黄河重源说"。说发源于昆仑山的黄河，不在地面上奔流，而是潜伏在地下，到积石山后，由于大禹导河积石，才把黄河水从地下引到地面上来。

积石峡

黄河重源的说法也源自西汉时期张骞出使西域的那次远行。《史记·大宛列传》记录了张骞到西域的第一次探险，里面这样记载："于阗之西，则水皆西流，注西海；其东水东流，注盐泽。盐泽潜行地下，其南则河源出焉。"这里所说的盐泽即古代罗布泊，"河"就是黄河。这段文字明确指出了古代塔里木河注入古代罗布泊后伏流地下，到青海后复出。此外，《汉书·西域传》中也有记载："其河有两原：一出葱岭山，一出于阗。于阗在南山下，其河北流，与葱岭河合，东注蒲昌海。蒲昌海，一名盐泽者也，去玉门、阳关三百余里，广袤三百里。其水亭居，冬夏不增减，皆以为潜行地下，南出于积石，为中国河云。"这是黄河重源说的两条经典依据。从此，黄河伏流重源说就风行一时。北魏郦道元撰《水经注》时也沿袭《史记》和《汉书》的说法。"黄河重源说"在历史上占有重要的位置，直到清乾隆四十七年（1782年），由纪昀、王念孙等参加编写的《河潭纪略》还把罗布泊当作黄河的上源。

第二节　探寻河源的足迹

　　隋炀帝大业五年（609 年），中央政府的军队平定了割据西部的吐谷浑，就在这片土地上设了四个郡，其中一个就叫河源郡，表明当时已知道黄河发源于这里，但认识仍是不准确的，实际的黄河源头还在西边更远的地方。

　　经过隋末大乱，居住在西部的吐谷浑又开始不安分起来。唐朝建立之初多与活跃于青海的吐谷浑人作战，后来又与青藏高原上的吐蕃人友好交往，便对黄河源地的二湖（鄂陵湖、扎陵湖）地区有了较多认识。唐贞观九年（635年），侯君集、李道宗奉命征讨吐谷浑，带兵进入青海，转战星宿川，曾登高"观览河源"。贞观十五年（641年），文成公主进藏，藏王远道"率部迎亲于河源"，前后都到了星宿海，提到了河源，但都没有指明河源的具体位置。

　　唐穆宗时，刘元鼎出使吐蕃，路过河源地区，对这里的山川大势有所认识，并记录在《新唐书·吐蕃传》中，但是这些都不是考察河源的记录，而且认识与记述都很简略。

　　历史上第一次专门组织考察队去黄河上游对黄河源进行考察，是在 700多年前的元代。元代统一中国后，试图加强中央与边疆民族的联系。1280年，元世祖忽必烈任命懂得多种方言的女真人都实为招讨使，带领考察队去寻找黄河河源。这次考察活动的目的是把汉唐都没能搞明白的黄河源头彻底弄清楚，并计划在那里设置驿站，与当地人做生意，同时开发黄河航运，从黄河源头地区起航，把青藏高原上的各种货物直接装船运到京城里来。

　　都实率领着一班人马，从河州（今甘肃临夏）宁河驿出发，穿过甘肃南部的崇山峻岭，经过积石山的东边，溯河而上，用了四个月的时间，终于来到河源地区的火敦脑儿（也就是星宿海）。这一年的冬天他们才回到大都（今

北京），向忽必烈详细汇报了河源地区及沿途的所见所闻。遗憾的是，都实这次考察所绘的图纸没有流传下来。幸好有一个叫作潘昂霄的翰林侍读学士从陪同考察的都实的弟弟阔阔出那里了解到了河源的地理状况，整理编写了《河源记》一书，记录这次考察活动。这本书里记述了这次考察取得的几个成果：一是指出黄河源的地理位置在吐蕃朵甘斯西边；二是描述了黄河源区的水文情况，第一次记录了星宿海的水系景观和名称的来由，指出今扎陵湖与鄂陵湖当时共用一名，虽分实连；三是绘制了黄河河源图。

书中讲黄河源头在吐蕃朵甘斯（地名，今天的巴颜喀拉山附近地区）西边，有 100 多汪泉水，有的呈喷泉状，有的看上去就是一片水洼。水面散布在方圆七八十里的地面上，而且是容易陷人的泥沼，人们不能近前察看。从旁边的高山上向下俯瞰，水泊像一排排星辰一样闪闪发光，所以把它叫作"星宿"。一条条河流奔流汇聚，流过将近 50 里，汇聚而成大湖，名为阿剌脑儿（就是扎陵湖和鄂陵湖）。书中还纠正了《汉书·西域传》中所说的黄河源为伏流重源的说法。

后来，元朝地理学家朱思本从上都（元代的陪都）所藏的梵文图书中，摘录有关黄河源地区的部分内容译成汉文，对《河源记》进行了补充。明代初期，宋濂等修《元史》，其中《地理志》中的《河源附录》转录了《河源记》全文。他还将朱思本译文不同处注在有关文句之下，这就是我们今天看到的《河源记》最早的版本。

清代的三次河源考察

清初时，传闻黄河上源有三条支河。康熙皇帝为了证实这一情况，在1704 年派遣拉锡、舒兰探寻河源。这次考察确认了传闻属实，并绘制了《星宿河源图》。但是考察队只到了星宿海，虽然发现了星宿海之上还有三条河，但并未走到源头。

康熙五十六年（1717 年），康熙又派人到青海考察河源，测量绘图。

此次实测成果为次年编绘的《皇舆全览图》所吸收。图上标明黄河上源的三条支河，中间一支名为"阿尔坦必拉"。乾隆二十六年（1761年），齐召南以《皇舆全览图》为主要资料来源编撰《水道提纲》，明确说："黄河源出星宿海西、巴颜喀拉山之东麓"，上源有三条河流，东南注入查灵海（扎陵湖），中间一条阿尔坦河（应为玛曲）则是黄河正源。

乾隆四十七年（1782年），由于黄河决口泛滥，难以堵塞，乾隆派遣阿弥达前往河源祭祀河神，这是清代官方第三次探寻河源。当时黄河水患已经成为清政府难以应付的一件大事。

阿弥达告祭河源之后，在给乾隆皇帝的报告中也提到了那三条支流，并说北面和中间的两条河水色绿，只有南面一条色黄，于是他就沿着南面色黄的那条上寻，并将其定为河源。有意思的是，他称这条支流为"阿勒坦郭勒"（"郭勒"就是"河"的意思），与齐召南所称的三条支流的中间一支阿尔坦河从读音来看，应为同一条河流。

青海黄河源两溪相汇

新中国的第一支河源科考队

新中国成立后，国家对黄河进行的第一次探源活动是在 1952 年。当时勘探队的主要任务不单是寻找黄河源头，还要为策划中的南水北调西线工程探察工程线路。

1952 年 8 月中旬，新中国第一支河源综合考察队在黄河水利委员会办公室副主任项立志和工程师董在华的率领下，从河南省开封出发，12 天后，到达青海省省会西宁市。考察队在西宁对考察的准备工作进行了全面检查，买了 62 匹马，供 62 名考察队员代步，还买了 173 头牦牛驮运足够 4 个月用的粮食和生活用品，队员们全身都换了一层"皮"：皮大衣、皮帽、皮背心、皮手套、皮裤、皮袜、皮靴及狗皮褥子。

他们从西宁出发，翻过日月山，经过苦海和醉马滩。因为当地有一种草，如果马误食了就有死亡的危险，所以有了"醉马滩"这个名字。在这 60 多千米的路程中，队员们马不停蹄，不敢停留。

到达黄河源头第一县玛多县城的时候是农历八月，这里已经是漫天雪花飞舞了，有两匹马在考察途中被冻死。继续西行 60 多千米，用了整整 3 天的时间，边走边查勘，队员们强忍着高原反应，终于到达鄂陵湖和扎陵湖地区。那时候鄂陵湖、扎陵湖一带还是只有野兽出没的无人区，虽说也有先人在这里披荆斩棘地走过，但在他们离开后，这里很快又重新回归到荒无人烟、一片沉寂的自然状态。考察队在这片高寒荒原上穿行 20 多天，既没有精确的地图，又没有向导，河流成了唯一的方向。他们只能一路追踪着黄河逆水而上。

考察队从当年 9 月下旬进入黄河源区，考察行程 5000 多千米，实测面积 2625 平方千米，到 12 月末才返回河南。其行进路线、查勘范围、工作深度远远超过了历朝历代任何一次河源考察。这次历时 4 个月的南水北调线路和黄河河源考察，取得了大量宝贵的第一手资料。通过分析考证，黄河水利委员会正式确认约古宗列曲为黄河正源。考察队搜集到一首在巴颜喀拉山北麓传唱的藏族民谣："马塞巴，雅达约古塞；约塞巴，雅合拉达合泽……"意思就是"黄河之水哪儿来？约古宗列。约古宗列的老家在哪儿？雅合拉达合泽……"雅合拉达合泽的意思就是万水之源，而这座山正是长江、黄河、柴达木盆地的分水岭。

1952 年，向河源地区进发的考察队

第三节　河源之辩

在 1952 年的河源考察之后，黄河水利委员会与一些大专院校、科研单位及青海省政府等又先后组织人员对黄河河源区进行了多次查勘和研究。但是，长期以来学术界对如何确定黄河河源一直持有不同的看法，曾出现过百家争鸣、各持己见的局面。

卡日曲与玛曲之争

1978 年，以青海省测绘局为主邀请有关专家学者一起对黄河河源区进行考察，接着由青海省政府主持召开扎陵、鄂陵两湖名称和黄河河源问题科学讨论会，会议纪要中有这样一段话："会议认为，定卡日曲为黄河正源比约古宗列曲更为合适。"会后除将纪要转抄各有关单位外，还出版了《黄河河源考察文集》。但是在没有得到上级主管部门审批的情况下，《人民画报》、新华社西宁分社就将"卡日曲为黄河正源"进行了宣传和报道，紧接着又写进了部分中小学教科书。1979 年版的《辞海》条目将黄河河源更改为卡日曲，随后许多新版地图也跟着作了更改。

这种匆忙更改黄河河源的做法引起一些学者的不满，从而引起了一场关于黄河河源的大讨论。下面列举各家对黄河河源的不同看法：

张维民（黄河水利委员会设计院，1978 年曾考察过黄河河源区）认为"黄河的玛曲、卡日曲和多曲均为河源，黄河应为多源"。

陈端平（中国自然科学研究所）在《关于黄河源问题》一文中主张"划定河源的主要标准是河源的长度和流量，并以长度为主导……不能以原则去迁就传统习惯"，提出"将卡日曲作为正源较为适当"。

董坚锋（黄河水利委员会水文局，1978 年主持河源区的查勘）认为确定河源"不能用一条简单原则或一项地理指标来定"，提出应"以多种地理因素以及历史记载、群众习惯看法等诸多方面综合判定"，"把黄河正源玛曲改为只比它长 18.5 千米的卡日曲是没有意义的"。

尤联元、景可（中科院地理所，1978 年曾参加黄河河源区查勘）发表了《何处黄河源》《黄河河源区地貌发育的初步研究》《黄河源再议》等文章，通过分析河源的自然地理、历史地位和基本情况后认为"黄河应该具有南北二源，其中卡日曲应作为正源"。

孙仲明（中科院地理所）、赵苇航（扬州师院）在发表的《从河源的划分依据试论黄河河源问题》《再论黄河之源问题》等文章中，提出了对黄河河源的几点看法："1. 要尊重主管河流部门的意见；2. 要尊重历史传统习惯；3. 河源是学术问题，应通过讨论解决；4. 对黄河源的流域特征值应做基础工作，求得可靠的数据。"

马秀峰（黄河水利委员会水文局）在题为《黄河源头不是卡日曲》的文章中提出"主张更改黄河源头的同志尚未拿出令人信服的正确依据"。

钮仲勋（中科院地理所）在《也谈黄河源》一文中，从地理学的角度和尊重历史传统习惯出发，认为"两者比较，玛曲似较卡日曲为优……应以玛曲作为正源"。

胡尔昌（黄河水利委员会设计院）发表文章《黄河正源定玛曲为妥》。

郭敬辉（中科院地理所）在《对黄河源问题的意见》一文中提出"河源问题不是一个纯科学问题……黄河源应以河流主管部门的意见为依据……不应忙于把玛曲正源更改为卡日曲"。

1981 年出版的《中国自然地理》中写道："黄河河源位于青海省巴颜喀拉山北麓，流经约古宗列盆地。近来有人提出卡日曲是黄河的正源，这个问题有待于进一步研究。"

另外还有很多论著，如贾玉红等的《再探黄河源》、赵济的《对于黄河河源的一些认识》、黄盛璋的《黄河上源的历史地理问题与测绘的地图新考》、

田尚的《黄河河源探讨》等，都对黄河河源提出过不同的观点。由此可见，黄河河源是大家关心的问题，也是具有争议的问题。

玛曲重归正源

为什么黄河水利委员会要将长度和水量都不出众的玛曲定为黄河河源呢？据了解，国际上最常用的确定河源的标准是"河源唯远"，许多学者专家都认为这也应当是确定河源的唯一原则，而不用再考虑其他因素。但是，以黄河水利委员会为主，也有许多专家并不同意这个标准。他们认为，无论古今中外，真正确定河源时，并不是完全遵循这一原则，或者说未把它作为唯一标准。黄河水利委员会水文局原总工程师马秀峰认为，1952年考察队确定黄河源时，他们走遍了当时两湖以上的各主要支流，从当地藏民的称谓、历史上对河源的考察记录、干流平缓顺直的角度来确认玛曲为黄河干流，进而认定玛曲曲果为黄河正源，是有道理的。

目前国内外并非都将河流取最长者为干流，或者河源取最远者为源头。在确定黄河河源时，应综合地参照自然因素和社会因素，既要考虑河流的长度、面积、水量、河谷形态、河流走势，也要注重人们对河源合理的传统习惯沿用等诸方面的因素进行综合判断，并非"唯河长论""唯面积论"，也不是"唯历史传统论"。

1985年，黄河水利委员会综合多方意见，根据历史传统和各家意见确认约古宗列曲为黄河上源的干流，并上报当时的水利电力部。同年6月再次勘察河源时，在约古宗列盆地西南隅的玛曲曲果，东经95° 59′ 24″、北纬35° 01′ 18″处竖立了黄河水利委员会原主任王化云题写的黄河源碑，作为河源标志。1999年10月，国家水利部和青海省人民政府又在玛曲曲果共同竖立了黄河源碑。

黄河源碑铭（1999 年所立黄河源碑）

巍巍巴颜，钟灵毓秀，约古宗列，天泉涌流。造化之功，启之以端，洋洋大河，于此发源。

揽雪山，越高原，辟峡谷，造平川，九曲注海，不废其时。绵五千四百六十公里之长流，润七十九万平方公里之寥廓。博大精深，乃华夏文明之母；浩瀚渊泓，本炎黄子孙之根。张国魂以宏邈，砥民气而长扬。浩浩汤汤，泽被其远，五洲华裔，瓜瓞永牵。

自公元一九四六年始，中国共产党统筹治河。倾心智，注国力，矢志兴邦。务除害而兴利，谋长河以久远。看岁岁安澜，沃土茵润，山川秀美，其功当在禹上。

美哉黄河，水德何长！继往开来，国运恒昌。立言贞石，永志不忘。

1999 年 10 月所立黄河源碑

第四节 孔雀河和星宿海

黄河发源的地方

在巴颜喀拉山脉的中部，有一座叫雅拉达泽的山峰，山东面30千米的地方是一个盆地，那就是约古宗列盆地，藏语约古宗列的意思就是"炒青稞的锅"。约古宗列盆地在地质时期曾是一个大湖泊，由于地壳的上升，气候变化，湖泊萎缩，湖区面积变小，目前盆地内仅残留着170多个小湖泊。

盆地周围的山区里，大气降水和冰雪融水渗入岩层中形成地下水。地下水沿着岩层下的各种通道由较高的山顶、山坡往山下渗流，在坡脚形成埋藏在地表下不深的潜水，还有一部分地下水继续渗入岩层的更深处，形成具有较大压力的承压水。在地壳发生运动的时候，有的地方岩层发生破裂，地表深处的承压水便会沿裂隙向上涌出地表，形成泉水，这种泉在地质学上叫上升泉。约古宗列盆地西南就分布着大量上升泉。晶莹的泉水像珍珠一样时断时续从泉眼中冒出来，汇成一股股清流，串联盆地中的大小水泊，渐渐形成一条小河，向东北方向蜿蜒而去。这里就是黄河发源的地方。

约古宗列盆地的涓涓细流

散布在盆地中的溪流和水泊，俯瞰就像孔雀开屏的图案，世代生活在这里的藏族同胞把这条河叫玛曲，汉语意思就是"孔雀河"。在雅拉达泽山的南面就是长江，长江和黄河在这里只有一山之隔，在最近的山口地段，两河相距只有 200 米。

长江、黄河分水岭

约古宗列盆地海拔大约 4500 米。这里的气候变化无常，每到夏秋季节，上午还是晴空万里，到了午后忽然就会狂风大作，飞沙走石，大雨、雪粒、冰雹顷刻而下；到了傍晚，风停雪消，流水潺潺，又是另一番景象。"立马北风寒，回首孤云白"就是身处河源区的真实感受。

落入凡间的星河

黄河出了茫尕峡就进入了玛涌。玛涌是约古宗列盆地以下的又一个盆地，著名的星宿海就在这里。星宿海并不是海，而是一片辽阔的草滩和沼泽，东西长 30 多千米，南北宽 10 多千米。草滩上密布着大小不一、形状各异的水泊，大的数百平方米，小的只有几平方米。这些水泊在月光下闪闪发光，宛如夜空中闪烁的星星，故名"星宿海"。水泊四周生长着茂密的杂草，夏秋季节开满艳丽的小花。流经这里的黄河水纵横交错，将大部分水泊连接起来，很难看出

星宿海

哪里是河道。

在玛涌盆地的东部，玛曲分别从左岸和右岸接纳了扎曲和卡日曲。历史上它们曾被称为黄河的北源和南源。扎曲较短，水量也小，干旱年份河道干涸。卡日曲较长，从它与玛曲交汇处计算，它比玛曲长20多千米。

第五节　扎陵湖与鄂陵湖

从星宿海东行 20 多千米，就到了扎陵湖和鄂陵湖。两湖相距约 20 千米，其间有一个不太高的巴彦郎马山将它们相连，人们称这两个湖为黄河源头的"姊妹湖"。

高原"姊妹湖"

扎陵湖东西长、南北窄，酷似一只美丽的大贝壳，镶嵌在黄河上。湖面面积约 526 平方千米，平均水深约 9 米，蓄水量为 47 亿立方米。扎陵湖水色碧澄发亮，沿岸多浅滩。因为水浅的地方呈灰白色，所以被称为"灰白色的长湖"。

在扎陵湖的西南角，距黄河入湖口不远，有三个小岛，岛上栖息着大量水鸟，所以又称"鸟岛"。这里的鸟大都是候鸟，有大雁、棕颈鸥、鱼鸥、赤麻鸭等 20 多种，给这里增添了无限生机。每当暮春时节，芳草萋萋，百

扎陵湖

鄂陵湖

鸟齐飞，鸟鸣声数里之外都能听到。

　　黄河水自扎陵湖南端散乱流出后，穿过一个宽浅峡谷。在峡谷以下，它接纳了多曲和勒那曲两条支流，随后又分成九股水流注入鄂陵湖。鄂陵湖，意为"青蓝色的长湖"，湖泊面积为 644 平方千米，比扎陵湖大 100 多平方千米，蓄水量为 108 亿立方米，是扎陵湖的两倍多。鄂陵湖的水极为清澈，呈深绿色，天晴时，天上的云彩和周围的山岭倒映在水中，清晰可见。

　　鄂陵湖南部有三个小岛，岛上生活着白唇鹿。现在这种珍贵的野生动物已在岛上驯养成功，可供游人观赏。鄂陵湖还有一个专供鸟儿们会餐的天然场所，人称"小西湖"。每年春天，黄河源头冰雪融化，河水上涨，鄂陵湖的水漫过一道堤岸流入小西湖，湖中的鱼儿也跟着游进来。待到冰雪化尽水源枯竭时，湖水断流并开始大量蒸发，水面迅速下降，小西湖里的鱼儿开始死亡，而且被风浪推到岸边的沙滩上，鸟儿们就可以美美地饱餐一顿。

鄂陵湖鹿岛

　　两湖中的鱼类由于长期处于自生自灭状态，不仅鱼群的密度大，而且不害怕人。岸边嬉游的鱼群，当人们接近时仍畅游不去；若投以石子儿，鱼群不但不惊，反而会向石子儿落水之处聚集。但是两湖地处高寒环境，鱼儿的生长速度非常缓慢，每增长 1 斤的体重可能要 10 年时间。

　　扎陵湖和鄂陵湖海拔都在 4260 米以上，比长白山顶的天池还高出 2000 多米，是名副其实的高原湖泊。扎陵湖和鄂陵湖蕴藏着丰富的水力资源，为黄河的万里征程积蓄了最初的力量。这里高寒潮湿，地域辽阔，牧草丰美，自然景观奇特，是难得的旅游胜地。

第六节 黄河源区

河源第一城玛多

从鄂陵湖湖口向东约 60 千米就到了玛多县城，这是黄河流经的第一个县城。县城南临黄河，北倚玛拉驿山，附近有一条沟叫玛查理沟，县城也因此被称为"玛查理"，意为"黄河沿"。自唐代以来，这里就是去往西藏的重要驿站和古老渡口。黄河干流上的第一个水文站——黄河沿水文站就设在这里。

在县城西郊，远远便能看见一座跨越黄河的公路桥，这是黄河干流上第一座钢筋混凝土大桥。大桥建于 20 世纪 50 年代，在当时，人类能在高寒缺氧的冻土地带筑起这样一座公路桥也算是壮举了。

玛多县城海拔大部分在 4500~5000 米，地形起伏不大。这里是高寒草原气候区，年平均气温 –4.1℃，一年之中四季不明显，只有冷暖之别，人们就把冷、暖两季分别称为冬季和夏季。冬季漫长而严寒，干燥多大风；夏季短暂而温凉多雨。素有"千湖之县"美誉的玛多县曾拥有大小湖泊 4077 个，著名的扎陵湖、鄂陵湖就在县境内。

玛多县总面积 25253 平方千米，人口却只有 14000 多。20 世纪 80 年代，得益于大自然赐予的丰美水草，这里的牧业规模很大，玛多县的人均收入曾经连续三年在全国排在前列。但是，近些年来因全球性气候变化导致生态恶化，该县冰川萎缩，湖泊干涸，地下水位明显下降，有些草场已退化成黑土滩，甚至沙漠。自 2005 年，国家出台禁牧政策，保护黄河源区的生态环境。

黄河的"水塔"

　　黄河河源区的水系发育程度较高，水资源丰富。流域面积大于 100 平方千米的支流有 23 条，其中左岸有 9 条，右岸有 14 条。据黄河河源区的出口水文站唐乃亥站多年观测资料显示，面积只有 12.23 万平方千米的黄河河源区，年均水量却约 207 亿立方米，占黄河水量的 38%，被誉为黄河的"水塔"，也是我国著名的三江源自然保护区（"三江"指长江、黄河、澜沧江）的重要组成部分。

　　在这里，有几个概念需要说明一下，就是黄河源头、黄河源头区和黄河河源区所指是不同的。黄河源头是黄河发源的地方，就是巴颜喀拉山北麓的约古宗列曲源头。黄河源头区是指从黄河源头到玛多县城（或黄河沿水文站）之间的区域，面积 2.12 万平方千米。黄河河源区（也称黄河源区）是指从黄河源头到龙羊峡（或唐乃亥水文站）之间的区域，面积为 12.23 万平方千米。这是以水资源利用和保护生态环境为目的进行的自然区划。

黄河河源区

黄河源区地势高峻，自然景观奇特。阿尼玛卿山是黄河流域最高峰，主峰高达 6282 米，山巅终年积雪，海拔 5000 米以上有冰川，每年都吸引了众多的登山爱好者。还有巴颜喀拉山、布青山、岷山、西倾山、鄂拉山等著名大山分布其间。高山河川、盆地、丘陵犬牙交错，形成了这里独特的地形地貌。这里的土壤多为寒漠土、黑黏土、沼泽土等，植物垂直分布层次清晰。高山之巅大多岩石裸露，白雪覆盖，而山坡却绿草如茵，鲜花四野，牛羊成群，相映成趣。这里山有多高水就有多高，它们从雪山而来，滋润了这片美丽的土地。

黄河源区的气候随地理位置、海拔的变化而变化。首先是温差大，最大温差达 75℃。据黄河沿水文站观测，年最低气温为 –53℃，年平均气温 –4℃。

巴颜喀拉山

降水量少而且不均匀。根据水文观测，卡日曲 – 扎陵湖 – 鄂陵湖至黄河沿水文站以北，年平均降水量为 300 毫米，属黄河流域少雨区之一；往南便逐渐进入黄河流域多雨区的青海吉迈 – 甘肃玛曲区域。

第五章

九曲黄河

黄河千折百回，大大小小的河湾不可胜数，人们常称黄河为"九曲黄河"。所谓"九"，是泛指多的意思。

第一节　万里黄河第一曲

　　黄河离开了玛多大体上向东南方向流去，至川、青交界的松潘高原，东面受岷山所阻，蜿蜒徘徊于草地之上，转了一个 180 度的大弯，向西北流出松潘高原；然后在青海省东部穿过一系列峡谷，又转了一个 180 度的大弯，向东流入龙羊峡，直到流出青海省。在 1000 多千米的流程里，黄河完成了一个 S 形的大转折，人们常把它叫作黄河第一曲。

神山阿尼玛卿

　　黄河走出源头区后的第一个 180 度大弯，一直是围绕着阿尼玛卿山穿行。黄河出玛多县多石峡后，就穿行于阿尼玛卿山和巴颜喀拉山之间的平川宽谷中，河道宽浅散乱，河中沙洲点点。水流平缓东行，在阿尼玛卿山下急转南

阿尼玛卿山

下，过了达日县的特合土乡又转向东流。这里山势渐峭，河谷渐窄，川地和峡谷相间。两岸山麓灌木丛密布，丘壑有致。发源于巴颜喀拉山的两条支流达日河、吉迈河都在这一段汇入黄河。

达日县城是青海至川北的必经之地，黄河流过县城继续在群山中穿行，河的北面就是阿尼玛卿山。

阿尼玛卿山在古籍中被称为"积石山"，是昆仑山脉向东南延伸的一条支脉。它曾经是"谜一样的山峰"，被认为是比珠穆朗玛峰还要高的山。1926年，进入黄河和阿尼玛卿山脉中间地带探险的植物学家约瑟夫·洛克，把阿尼玛卿山的高度误判为8500米以上。而1948年美国人雷纳德·克拉克对阿尼玛卿山进行勘察和测量，居然测出阿尼玛卿山主峰海拔9041米。直到1960年6月，北京地质学院登山队沿东北坡登上了阿尼玛卿山，才准确测出了它的真实高度。

阿尼玛卿山雄踞黄河河曲，群峰连绵。主峰玛卿岗日海拔6282米，巍然屹立于周围群峰之中，山顶积雪，冰峰起伏，气象万千。阿尼玛卿雪山下的裸岩，看起来好像是不毛之地，实际上那里却有不少野生动物。例如岩羊、雪鸡、白唇鹿等，它们体态轻盈，善于跳跃奔驰，在山林、灌丛或草甸中觅食，

雪豹

在裸岩上栖息。阿尼玛卿山还是雪豹的繁殖栖息地，被国际动物学界关注，有许多国家的科学家同我国科学家合作，将这里作为雪豹行为生态的研究基地。

阿尼玛卿山区的植物群落呈明显的垂直地带分布。山顶终年积雪，雪线以下，在海拔 4500~4800 米的地带，主要是以蒿草为主的高山草甸，再往下才出现山柳和杜鹃灌丛，在海拔 3600~3800 米的地带生长着高大的云杉、圆柏等寒温带针叶林。由于气候寒冷且较湿润，高山牧场上牧草萌发迟、枯黄早，一年中生长期仅有三五个月。在牧草生长季节，牧场上色彩缤纷：五六月间，蒲公英、委陵菜、鸢尾开花；七月杂类草大量开花；八月菊科植物开花。开着小白花的委陵菜，根部甜脆多汁，据说当年文成公主品尝后称其为"人参果"。委陵菜本身很甜，多吃又不腻，当地人将它和酸奶混煮，作为待客的上品。

松潘高原

绕过阿尼玛卿山后，黄河进入甘肃省玛曲县，穿过广阔的齐哈玛牧场，来到位于四川省北部的松潘高原。松潘高原又叫松潘草地，位于巴颜喀拉山、岷山和西倾山之间，面积约有 1.52 万平方千米，海拔在 3500 米以上。

松潘草地是当年红军长征走过的地方。这里遍布沼泽、气候恶劣、人迹罕至，几乎是一个"死亡陷阱"。松潘高原外形好像一只平底锅，黄河就在这个"平底锅"里曲折流动。因为地势平坦，河道宽浅，切割作用微弱，堆积作用强烈，废弃的河道和河流极度弯曲，自然截弯取直留下的牛轭湖及沙洲、沙岛很多，清澈的水流平缓而宁静，和它在上游峡谷中波涛汹涌的景象迥异。

流经红原县的白河和流经若尔盖县的黑河，是黄河上游较大的两条支流。它们都发源于松潘高原边缘的岷山山脉。白河流域、黑河流域雨量丰沛，是黄河流域的多雨区。白河和黑河的汇入，让黄河水量大增。

地势平缓、排水不良会造成地表长期过湿或积水，形成沼泽。松潘高原上沼泽面积约有 2700 平方千米，是我国沼泽分布最广的地区之一。这里的雨水多而气温低，相对湿度在 70% 左右，年平均蒸发量仅 400 多毫米，这样的水热条件有利于喜湿植物的生长，而不利于植物残体的分解，从而加速了泥炭的形成和积累，泥炭层最厚可达 10 米以上。泥炭不但可以作为良好的有机肥料，还可以提取多种化工产品。

从拉加峡到龙羊峡

黄河流出松潘高原，重返甘肃省玛曲县进入崇山峻岭之中。在甘肃、青海交界处，左岸汇入了一条支流，叫作西科河。黄河接纳了西科河后，又回到青海省境内。从西科河口到同德县境内的巴沟入口处，称为拉加峡。它得名于玛沁县的拉加，是这一段黄河干流上一系列峡谷的总称，全长 216 千米，是全河仅次于晋陕峡谷的第二长峡。它上下口之间的落差 588 米，峡内千折百回，极为险峻。

黄河从峡谷上游流到峡谷中部的拉加镇时，水势渐缓，两岸均是农田，峡谷内充沛的降水和湿润的空气非常适宜农作物的生长。

拉加峡下游的野狐峡位于青海省同德、贵南县境，左岸为高四五十米的石梁，右岸是高达百米的峭壁，河宽仅 10 余米，是黄河干流上最窄的峡谷。从峡底仰视，仅见青天一线，据说野狐都能跳过，因此而得名。黄河出野狐峡后，折向东北，穿行 90 千米，就来到了龙羊峡。

拉加峡

第二节　峡谷明珠

　　黄河完成第一个大转弯后，由青藏高原奔流而下。从青海省的龙羊峡，到宁夏回族自治区的青铜峡，黄河一直穿行在峡谷与川地之间，全长 918 千米。因河道中岩石性质的不同，形成峡谷和宽谷相间的形势：在坚硬的变质岩地段形成峡谷，在疏松的砂页岩和红色岩系地段形成宽谷。这一河段坡陡流急，险滩众多，峡谷长度占河道总长度的 40% 以上。

发展水电的"宝库"

　　黄河在龙羊峡以上河段的河水基本是清的，到了兰州，河水的平均含沙量只有 3 千克 / 米 ^{3}。虽然同清水河流相比，这里的泥沙也不算少，但是同黄河下游多年平均河水的含沙量 35 千克 / 米 ^{3} 相比，却是少了很多。贵德至兰州区间是黄河支流集中的区段之一，有湟水、洮河等重要支流汇入，这就使黄河的水量大大增加。一个水多，一个沙少，这为水力资源的开发利用提供了极为有利的条件。

　　离开河源地区的黄河在接下来 900 多千米的行程中，像阶梯似的一个台阶一个台阶地下降了 1300 多米，平均 1 千米下降 1 米多，所以被称为"阶梯河"。阶梯河上有 20 个大小不等的峡谷，最长的达 60 多千米，最短的也有几千米。河道一会儿宽，一会儿窄，像连接起来的一串葫芦。这样的地形和水流条件，构成了建设水库、电站的优良坝址，是发展水电建设的"宝库"。

黄河水电的梯级开发

从龙羊峡到青铜峡共有 20 个较大的峡谷，依次为龙羊峡、阿什贡峡、松巴峡、李家峡、公伯峡、积石峡、寺沟峡、刘家峡、牛鼻子峡、朱喇嘛峡、盐锅峡、八盘峡、柴家峡、桑园峡、大峡、乌金峡、红山南峡、红山北峡、黑山峡、青铜峡，其中兰州以上有 13 个，兰州以下有 7 个。在两个峡谷之间，还有大小宽窄不等的川地。这种峡谷与川地相间的地形，对人们的经济活动有重要意义。就发展水电来说，在峡谷建坝以后，上边壅水成湖，可以把多雨季节的水蓄存起来，用以调节枯水季节的水量。但这种水坝往往要求有较大的库容，狭长的峡谷并不理想，而峡谷和川地相间的一束一放的地形，容水量大，同时也有利于把长距离的河床落差集中到几个点来发电。海拔高度在这里一级一级地下降，每一级造一坝，把河道分成若干梯级，可以建造一连串的水电站。

在最新的黄河流域综合规划里，黄河干流上布置了 46 座梯级水库，而在龙羊峡到青铜峡这一段就有 24 座。这些水库像一串璀璨的明珠，镶嵌在古老的黄河上。

黄河"龙头"龙羊峡

"龙羊"为藏语，"龙"为沟谷，"羊"为峻崖，即峻崖深谷的意思。龙羊峡处在我国地势的第一级阶梯和第二级阶梯交界的地方，长 38.6 千米，落差 235 米，两岸悬崖壁立，高 100~200 米，河床宽仅有 20~40 米，水流湍急，是建设水电站的绝佳坝址。1976 年国家开始兴建龙羊峡水电站，坝址就选在峡谷入口处。1989 年龙羊峡水电站建成，水库控制流域面积 13.1 万平方千米，总库容 247 亿立方米，是当时中国库容量最大的水库；电站装机容量 128 万千瓦，年发电量 59.4 亿千瓦时。龙羊峡水电站是黄河上游第一座大

龙羊峡水库大坝

型梯级电站，人称黄河"龙头"电站。自投入运行以来，龙羊峡水电站为西北电网的调峰、调频和下游防洪、防凌、灌溉及黄河水资源调度发挥了重要作用，是黄河干流其他水电站都无法替代的。

美丽富饶的黄河谷地

黄河出龙羊峡以后，经过了一个又一个深切的峡谷，而在峡谷之间分布着被峡谷分隔的贵德、尖扎、循化等盆地。这些开阔的谷地，自然条件比较优越，很早以前就成为人类生存繁衍的家园。

历史上，古丝绸之路、唐蕃古道在贵德境内交错延伸，是当年沟通中原与西域政治、经济、文化的纽带，拥有深厚的历史底蕴。贵德还是典型的多民族聚居地区，有汉、藏、回等10多个民族，它们大都在贵德留下了印记，境内的马家窑文化遗址、卡约文化遗址、汉唐古堡、明清楼阁都是贵德历史

天下黄河贵德清

发展和文化变迁的见证。至今保存完好的贵德古城属明代建筑群，已有600多年的历史。

由于龙羊峡水库下泄清水，加上湿地对泥沙的沉淀作用，流经贵德的黄河水变得清澈起来，素有"天下黄河贵德清"的美誉。

黄河流出贵德进入尖扎县。尖扎境内不但有著名的李家峡水电站，而且还有一处石林奇观——坎布拉丹霞地貌。坎布拉丹霞地貌以奇峰、洞穴、峭

坎布拉丹霞地貌

壁为主要特征，由红色砂砾岩构成，岩体表面丹红如霞。山体如柱如塔、似壁似堡、似人如兽，山体各种造型栩栩如生，形态千奇百怪，有鬼斧神工之妙，其中以"仙女聚会""强起岗""南宗沟"最具代表性。

"仙女聚会"峰群由数十个拔地而起、形态各异的锥形山体组成。其上有奇花异草点缀，四周地形隆起，犹如一座宏大的古城堡。从高空俯视，如同仙女在翩翩起舞。西部的"强起岗"海拔 2700 米，由大小数十座峭壁如削的塔状山峰组成了又一奇观。

高原小江南——循化

循化是我国唯一的撒拉族自治县，位于青海省东部，青藏高原边缘地带，四面环山，属于高原大陆性气候。河谷地区平均海拔 1850 米，气候比较温和，夏无酷暑，冬不甚寒，素有"高原小江南"的美称。

位于循化县城东边的积石峡，因位于小积石山下而得名。峡道狭窄，水急浪险，落差大，漩涡多，峡中有传说中的大禹劈山导河的遗迹和禹王石。国家级大型水电站公伯峡水电站、积石峡水电站的建成，使当地的水资源更为丰富。加上宜人的气候，每年冬季这里都吸引了大量候鸟在迁徙途中来此逗留。

循化河谷

"黄河明珠"刘家峡

　　黄河从龙羊峡往下流335千米，就来到了刘家峡。刘家峡在甘肃省永靖县内，位于临夏永靖县城西南1千米处。这段峡谷长约11千米，落差18米。刘家峡水电站是新中国成立后第一个五年计划期间开始勘探工作的，是我国自己设计、自己施工、自己建造的大型水电工程。

　　刘家峡水库蓄水容量达57亿立方米，水域面积140多平方千米，拦河大坝高147米，坝顶全长840米，发电机组装机容量122.5万千瓦，达到年发电57亿千瓦时的规模。电站从1964年春天开始动工，于1974年建成，是当时中国最大的水利电力枢纽工程，被誉为"黄河明珠"。

刘家峡水电站

　　刘家峡水库周边岩石嶙峋，上游挺秀突兀的姐妹峰与湖水相映，颇似桂林的山水景色。在洮河口，挟带大量泥沙、浑浊不堪的洮河水注入水库，与清澈的库水形成清浊分明的两股水流，但浊流很快被清波吞没，这也是一个奇景。

　　黄河穿过的甘肃省中部地区，许多平坦的台地往往高出河床几十米甚至五六百米，而且雨量稀少，是历史上出了名的干旱山区，正是"山下黄河滚滚流，山上吃水贵如油"。刘家峡水电站建成以后，为峡谷两岸高耸的山坡和塬面发展电力提灌创造了条件。短短几年里，甘肃省中部地区就建成大、中、小型提灌站 3000 多座。位于甘肃和宁夏交界处的景泰川引黄提灌站，把黄河水提高了 700 多米，灌溉土地 100 多万亩。

万里黄河第一桥

皋兰盆地是黄河进入甘肃境内经过的第一个较为开阔的河谷，黄河上游第一个大工业城市兰州就横跨在这里的黄河两岸。

兰州是唯一一座黄河穿城而过的城市，也是一个历史悠久的古城。早在公元前 1 世纪，汉代就已经在今西固置县筑廓，取"金城汤池"之意，称为"金城"，隶属于陇西郡。隋开皇元年（581 年），置兰州总管府，始称兰州。从汉代算起，至今已有 2000 多年的历史了。

兰州南北有皋兰和白塔两山对峙，黄河从中而过，地形险要，自古就是通往河西和青海、新疆的咽喉要塞，所以历史上有"河西雄郡，金城为最"的说法。

但新中国成立前，兰州依然是"古道驼铃响，骡驴穿小巷"，交通十分落后。据史料记载，"昔黄河八千里，自西往东，行者均以舟渡"。直到明洪武五年（1372 年）才在兰州城西约 7 里处的河面上架设了一座浮桥。由于河流湍急，不能长久，又于洪武九年移到城西约 10 里处。洪武十八年再次改置于城北白塔山下，这就是历史上有名的"万里黄河第一桥"——镇远桥。自明朝开国至清末的 500 多年里，这座浮桥一直是黄河两岸的交通要道，还被列入兰州八景之一——降龙锁蛟。但这座浮桥其实不是桥，而是用 24 只大船横排于黄河之上，号称"巨舰二十四艘"。船与船之间以长木连接，铺上木板，两边加上栏杆，南北两岸竖铁柱 4 根，大木柱 45 根，有两根各长 50 米的粗铁绳，将船固定在河面上。到了冬季黄河结冰时，便将浮桥拆除，等到第二年开春，黄河解冻，再重新搭起来。"伫看三月桃花冰，冰泮河桥柳色青"，就是当时浮桥的写照。

　　现在人们所说的兰州黄河铁桥，是1907年清政府聘请德商承建的一座公路桥，长约230米，宽近7米，载重仅5吨。这座铁桥所用建筑材料全从外国进口，工程历时一年半，耗银30多万两。当时，德商愚弄清政府，在合同上注明：保固三十年，如遇蛟龙显圣，不在此限。但因桥梁建造标准很低，施工质量低劣，早在保固期满之前，就连骡马在桥上行走桥体都已摇摆不定了。1928年，为纪念孙中山先生，由当时的甘肃省主席刘郁芬手书的"中山桥"匾额，被悬挂于铁桥南面，"第一桥"从此改名"中山桥"，并沿用至今。新中国成立后政府先后对铁桥进行了几次整修，2013年3月30日起，为了保障行人通行的安全，保护国家重点文物，兰州黄河铁桥禁止机动车辆通行。

兰州中山桥

羊皮筏子

　　兰州的羊皮筏子，俗称排子，是黄河沿岸保留下来的一种古老的摆渡工具，主要用于青海、兰州至包头之间的长途水上贩运。

　　羊皮筏子只能用整张的山羊皮来做，山羊皮充气不漏，绵羊皮却不行。人们将大个儿羊只的皮毛用盐水脱毛后以菜油涂抹四肢和脖项处，使之松软，再用细绳扎成袋状，还要在皮囊里灌些胡麻油，用来保持皮囊的弹性，防止开裂漏气。留一小孔吹足气后封孔，以木板条将皮袋串绑起来，羊皮筏子就做成了。羊皮筏子有大有小，最大的由600多只羊皮袋扎成，载重可达二三十吨，一天可走200多千米，从兰州顺流而下，十一二天就可到达包头；小的也由10多只羊皮袋扎成，适于短途运输，主要用于运送瓜果蔬菜，渡送行人。20世纪50年代之前，在铁路尚未开通、公路交通又不便利的黄河上游地区，羊皮筏子一直是重要的运输工具。

1933年，兰州黄河边的羊皮筏子

青铜峡水利枢纽

青铜峡是黄河上游最后一个峡谷。青铜峡水利枢纽于1967年基本竣工。水库坝长697米，坝高42米。除了河床水电站，还在两岸各建一水电站，是以灌溉为主，结合发电、防洪、防凌等综合利用的大型水利枢纽工程，对改善宁夏灌区的引水条件、发展工农业生产起到了巨大的作用。

古老的秦渠、汉渠、唐徕渠等大型渠道，在青铜峡水库建成前，引水没有保证，遇到枯水季节，庄稼常干旱枯死；遇到大洪水，渠堤溃决，大片良田被淹没。青铜峡水库的建成，结束了宁夏平原2000多年来无坝引水灌溉的历史，灌溉面积扩大了500多万亩，使宁夏成为全国稳产、高产的商品粮基地。

青铜峡水利枢纽不仅对宁夏的灌溉农业提供保障，还减少了黄河宁蒙河段冰凌的危害，为西北电力工业和宁夏工农业发展、生态环境治理都做出了重大贡献。

青铜峡水利枢纽

青铜峡名称的由来

　　"河流九曲汇青铜，峭壁凝晖夕阳红。疏凿传闻留禹迹，安澜千载庆朝宗。"这是清代罗元琦所写的《青铜禹迹》，描述的是大禹在青铜峡一带开山治水的故事。古时候，黄河流到宁夏被牛首山挡住去路，水在宁夏西部滚来滚去，流不出去，形成一个湖泊，使得黄河上游被水淹没，而宁夏平原无水灌溉，常受旱灾。大禹来到这里，见大山把水挡住，就抡起他的神斧劈出一条峡谷，黄河之水从峡谷奔流而过。大禹望着北去的滔滔黄河，又见夕阳西下，晚霞映照，牛首山岩壁呈现出一片青红色，像青铜宝镜一般，就在峭壁上写下了"青铜峡"三个大字，从此青铜峡的名字沿用至今。

第三节 塞上江南

黄河由甘肃进入宁夏回族自治区，流程 490 多千米，终于摆脱大山的束缚，在两岸形成了大片的冲积平原。这里地形平坦，土层深厚，土地集中成片，适宜大面积机耕。绵延数百里的贺兰山脉耸立在平原的西北侧，像一道长长的屏风，挡住了从西北来的戈壁飞沙和高天寒流，使平原蓝天明净，气候温和，宛如从江南裁来的一段春色，镶在辽阔的西北高原上，加上有黄河水的灌溉，使这里成为物产最富饶的地方，素有"塞上江南"之称。

宁夏黄河

会唱歌的沙子

　　黄河刚入宁夏时，人们在河两岸看到的并非江南风光，而是长河落日的雄浑景象。

　　在一望无际的腾格里大沙漠中，包围着一片树木参天的绿洲，这便是著名的沙坡头。在这里，滔滔沙浪由西北向东南滚滚而来，直逼黄河，在黄河岸边形成了一个沙漠台地。由台地向北有一座高100多米、长达200多米的陡峻沙堤，人称"沙坡鸣钟"，也称"会唱歌的沙丘"。站在沙丘顶上举目远望，无垠的平原尽收眼底。沙丘下的黄河，扬波鼓浪，滚滚东流。如果你从沙丘顶上往下滑，会听到从地壳内部发出一种嗡嗡的轰响，好似金钟长鸣。据说这里的沙子中含有很多石英，经阳光照射发热，再经摩擦，便会发出电来。它的鸣叫就是由于人坐在上面给沙粒增加了压力，沙粒下滑流动相互摩擦而发出来的。

沙漠之都

　　在宁夏中卫市的黄河岸边，有一个叫沙坡头的地方，它位于腾格里沙漠的南端，海拔1500米。这里沙层厚度70~100米，世界罕见，有世界"沙漠之都"之称。沙坡头下临黄河，北望沙海，自然景观驰名中外。这里还是闻名中外的沙坡头治沙站所在地，该站以治沙成果丰硕而饮誉全球。

宁夏沙坡头

天下黄河富宁夏

宁夏平原年降水量平均只有 200 毫米，属温带干旱区。但黄河从这里流过，使它颇得利益，成为黄河上游第一个大面积引黄灌溉的农业区。

宁夏引黄灌区

宁夏平原是依赖黄河水而发展的地区，这里的引黄灌溉已有 2000 多年的历史。早在公元前 214 年，秦始皇派大将蒙恬率兵在此驻防，同时征发内地的百姓来此修筑长城，在群众自发开渠灌田的基础上，开始修建大型渠道。先修了河东岸的"北地东渠"，即现存的秦渠，后修了河西岸的"北地西渠"，到了汉代重加修理和延伸，又名汉延渠。汉武帝时期，又在秦渠以南修建了汉渠，在汉延渠以北修建了光禄渠（唐代重修后改名为唐徕渠）。清代又修建了沿黄河西岸经银川一直往北流向惠农、长达 180 千米的惠农渠。这些引黄河水的古渠曾为这一带的繁华和富庶，做出了积极的贡献，所以有"天下黄河富宁夏"的美称。清代诗人黄庭的《宁夏渡河》这样描述宁夏平原的引黄之利："峡口回波绕塞流，黄河利独擅边州。千屯得水成膏壤，两坝分渠据上游。鸡犬人家红稻岸，鱼盐贾舶白蘋洲。那知泽国堤防急，百万金钱掷浪头。"

20 世纪 50 年代末，我国开始在青铜峡兴建以灌溉为主，结合发电、防洪、防凌等综合利用的大型水利枢纽工程，对改善灌区引水条件、发展工农业生产起了巨大的作用，使这些千年古渠焕发了新的生命力。历经沧桑、沿用至今的宁夏引黄古灌区 2017 年入选"世界灌溉工程遗产名录"。

塞上煤城

在宁夏与内蒙古的交界处，有一座闻名中外的塞上煤城，就是我国西北地区煤炭工业基地——石嘴山。石嘴山位于贺兰山最北端，山石突出，古称石嘴子，从地形上来看，它好像是贺兰山这条巨龙伸出的大嘴，伏在滔滔的黄河边饮水，因此得名。

石嘴山依山背水，地势险要，是北部进入银川的咽喉，自古就有"欲固宁夏，必守石嘴"的说法。成吉思汗率领大军攻打西夏，曾两次从石嘴山黄河古渡口强渡黄河，直逼银川。明代早期的北长城就修筑在这里。这里古时是一个渡口，清雍正四年（1726 年），在这里开挖惠农渠，引黄河水灌溉农田。后来石嘴山成了贸易口岸，清光绪年间，这里先后开办了 10 家洋行，垄断宁夏和内蒙古一带的皮毛业达 40 年之久。

石嘴山市的煤炭蕴藏量巨大，已探明的储量为 308 亿吨。其中的太西煤可以随意加工成各种规格、形状，煤坚硬，乌黑发亮，触之不染，燃烧无烟，好似优质木炭，质量居全国首位。新中国成立后石嘴山市成为我国西北的煤炭生产基地，是我国无烟煤生产的最大基地，被誉为"塞上煤城"。

第四节 内蒙古河套平原

　　黄河流过富饶的宁夏平原，经石嘴山急流北上，穿越贺兰山余脉，在浩瀚的乌兰布和沙漠与茫茫的鄂尔多斯高原之间，缓缓地流入内蒙古自治区的河套平原。

　　内蒙古河套平原北靠阴山，南倚鄂尔多斯，西起巴彦高勒，东至和林格尔。一般把它分成两个部分：巴彦高勒至西山嘴之间称为后套平原，西山嘴以东称为前套平原或土默川平原。

河套平原

后套平原

后套平原，是沿黄河形成的一块由耕地、草原和荒滩相间组成的平原，是内蒙古的粮仓。蒙古语称这里为"包尔套海"，意为"紫色河湾"。

后套平原是我国古老的灌溉区之一。远在战国时期，魏国和赵国就在这里屯垦；秦汉时期曾多次向这里大规模移民，引黄灌溉随之兴起；到唐代已有相当规模。但在过去灌渠时兴时废，发展缓慢。新中国成立初期，灌溉面积只有200多万亩，而且渠系紊乱，引水口没有控制工程，水涨易涝，水落易旱，引水没有保证。有些地区没有排水设施，灌溉的余水排不出去，使许多肥沃的良田变成了白茫茫的盐碱滩。

20世纪60年代初期，在巴彦高勒的黄河上建起了一座大型的水利枢纽工程——三盛公水利枢纽。这是黄河上最大的引黄河水灌溉耕地的工程，2000米长的拦河大坝拦腰截断黄河，18座电动节制闸门每秒可引进来500多立方米的黄河水，通过400多千米长的南北总干渠和40多条大小干渠，把水送往各个灌区，不能自流灌溉的地方，沿河建了许多扬水站。整个平原上，

三盛公水利枢纽

一座座节制闸、渡槽和桥梁，与 10000 多条林带掩映的渠道纵横交织，形成了比较完整的排灌系统，灌溉着 580 多万亩土地。后套平原是粮仓，也是宝库，那里蕴藏着煤、铁、铜、金、石墨、石棉、云母、盐、碱等多种矿产资源，储量在国内都占有相当比例。

沿着三盛公水利枢纽北岸总干渠东行来到乌拉特前旗的西山嘴，登高北望，方圆百里的乌梁素海像一弯新月斜躺在后套平原的东部。碧绿的水面，一望无际，远处青山环绕，岸边绿草盖地。乌梁素海有着广阔的水域、良好的水质、丰富的饵料，水产资源十分丰富，盛产鲤鱼、鲫鱼、青鱼、鲢鱼、草鱼等。

美丽富饶的土默川

黄河流过包头，进入一块方圆八百里的黄河冲积平原，这就是素有"前套"之称的土默川。土默川位于大青山和黄河之间，南北朝时期被称为"敕勒川"，五代时叫"丰州滩"。到了明朝，由于蒙古族土默特部落曾在这一带驻扎、放牧，"土默川"这个名称便沿用下来。

土默川是一个美丽富饶、水草丰盛的地方。大青山下覆盖着茂密的牧草，每当夏季地上的积雪消融，草木生长旺盛，这里就像绿色的海洋，放牧的马群犹如大海的波涛。1500 多年前的北齐诗人斛律金曾经写下了一首《敕勒歌》："敕勒川，阴山下，天似穹庐，笼盖四野。天苍苍，野茫茫，风吹草低见牛羊。"这首著名的民歌，勾勒出了北国草原壮丽富饶的自然景色，具有鲜明的游牧民族色彩。

内蒙古自治区的首府呼和浩特坐落在土默川的东部，是屹立在祖国北疆的一座塞外古城。历史上内蒙古草原的一些民族，都曾经在这里居留过。春秋战国时代，赵武灵王曾在阴山以南的呼和浩特一带设置了云中郡。16 世纪中叶，达延汗统一了蒙古各部和漠南地区，他的孙子阿勒坦汗率领土默特部在呼和浩特地区兴建了许多大的居民点及一些比较豪华的宫殿和府第。随后又用青砖修起城墙，远远望去，一片青色，所以蒙古语"呼和浩特"的意思就是"青色的城"。

呼和浩特城南 10 千米的大黑河南岸，耸立着一座高 3 米的大土丘，这就是著名的王昭君墓。因传说塞外草白，唯独昭君墓上草色发青，所以又称"青冢"。

黄河上游与中游的分界点

位于土默川平原东部的托克托县河口镇，是黄河上游和中游的分界点。1938 年河口镇改为河口村，但是人们说到这个分界点时，还是沿用"河口镇"这一名称。历史悠久的河口古镇曾是一个商贾云集的水陆码头和边贸重镇，在黄河航运史上占有重要地位。从内地络绎而来的商船，将草原人们需要的食物、布匹、茶砖运载过来，再将草原上的马、牛、羊和皮毛源源不断地运回内地。

有鹿的地方

包头有着悠久的历史。战国时期，中原诸侯争雄激战，无暇顾及生活在北方的匈奴，匈奴乘机崛起，势力达到秦、赵、燕三国边境。赵武灵王为了抵御匈奴，在阴山北麓修筑了赵长城。秦始皇统一六国以后，遣蒙恬率兵 30 万北击匈奴，迫使他们北退 600 余里，包头一带划归九原郡管辖。到了汉朝，改九原为五原。迄今为止，包头已发现汉代古城、古墓多处，比较典型的有古城湾汉代古城遗址和麻池汉代古城遗址。

17 世纪中叶，清朝政府实行移民屯垦戍边的政策，晋、冀、豫、陕等地灾民陆续迁徙而来，这里逐渐形成了一些以农业为主的居民点，取名包头村。据说 300 多年前，这一带清泉淙淙，古木森森，时常有鹿群往来。当地

人便称这里为"包克图"，意思是"有鹿的地方"。包头这个地名就是从蒙古语"包克图"音译过来的。

　　1926 年，包头逐渐发展成为一个县城，成了塞外最大的皮毛集散地，并有"皮毛一动百业兴"之说。1927 年，我国地质学家丁道衡先生来到黄河岸边的内蒙古草原，发现了储量丰富的白云鄂博铁矿。1953 年，国家决定开发白云鄂博铁矿，在包头建设钢铁基地。现在包钢已经成为一个巨大的黑色有色冶金联合企业，包头市也发展成为黄河之滨一座近 300 万人口的草原钢城。

那达慕大会

　　那达慕大会是蒙古族牧民的一种传统的群众集会，是草原上一年一度的盛大节日。每年七八月间，成千上万的蒙古族牧民，穿起节日的盛装，不顾旅途遥远，男女老少或骑马或乘车，云集到绿草如茵的草原上。平日宁静的草原，彩旗飘扬，人流涌动，牧马嘶鸣，呈现出一派繁荣的景象。那达慕大会为期三天左右，主要进行物资交流和开展文娱体育活动。

第五节　晋陕峡谷

黄河过河口镇进入中游后，受吕梁山阻挡，折转向南，飞流直下 700 多千米，直至禹门口，将黄土高原一劈两半，开出一条深邃的峡谷，东岸为山西省，西岸为陕西省，所以叫晋陕峡谷。

最长的峡谷

晋陕峡谷是黄河上最长的峡谷，全长 725 千米，水面高程由 984 米降至377 米。河段内支流绝大部分流经黄土丘陵沟壑区，是黄河粗泥沙的主要来源，全河多年平均输沙量 16 亿吨中约有 9 亿吨来源于此。晋陕峡谷始终保持由北向南的走势没有大的转折，这是地质构造与水系发育的结果。100 多万年前，山西、陕西之间还是一个比较低洼的地带，东有吕梁山高地，西有鄂尔多斯台地隆起，黄河就沿着鄂尔多斯台地东缘这个低洼地带奔流，不断切割沿途的古老地层，天长日久，形成了峡谷型的河道。

这里的峡谷形态比较单一，无忽宽忽窄之处，一般都是梯形河谷，谷底宽 200~400 米，水流湍急，左右淘刷，使两岸呈不对称的陡崖峭壁，高出水面数十米至百余米。峡谷沿途只有清水河、河曲、府谷附近的河谷较宽，有较多的川地。其余河段仅在凸岸有零星窄条川地。晋陕峡谷中的窄谷出现在峡谷的石灰岩区，如上段的万家寨、龙口，下段的龙门，都是修建水电站的好地点，已建工程有万家寨水电站、龙口水电站、天桥水电站。

晋陕峡谷河道

万家寨水利枢纽

　　万家寨水利枢纽地处山西、内蒙古两省区交界之地、山西省偏关县的黄河入晋第一镇——万家寨镇，是由水利部、山西省和内蒙古自治区三方共同投资兴建的国家大型水利枢纽工程。其主体工程于1994年年底开工，历经六年建设，2000年年底全部建成并投产发电，年设计发电量27.5亿千瓦时。这座水利工程与别处最大的不同在于它的首要任务是解决山西、内蒙古地区的工农业及生活用水问题。这里是中国严重缺水的地区之一，人畜饮水非常困难。工程对缓解两省区缺水紧张状况，改善华北地区电网运行条件，减轻下游河段防洪、防凌压力起到了很大作用。

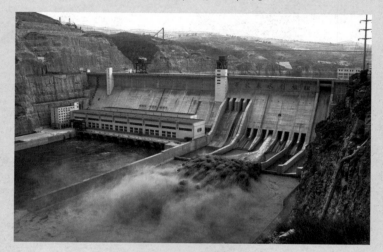

万家寨水利枢纽

天桥急流

　　黄河艄公有句口语："上有天桥子，下有碛流子。""天桥子"就是天桥石峡，"碛流子"就是壶口瀑布，意思是说这两处是晋陕峡谷中最险要的河段。

　　天桥石峡在河曲县石梯村和水寨岛之间。此地峡深谷幽，水势迅猛，波涛汹涌，与连绵不绝的峰峦自然组合，天与地、水与雾，鬼斧神工，浑然一体，构成一幅壮美的奇景。"雾迷浪"险滩横拦在峡谷中部，几座犬牙交错的巨石屹立在河心，水从石间冲出，摔落在跌水里，浪跃雾起，遮天蔽日，令人望而生畏。船来到"雾迷浪"，只有谙熟水势的老艄公才能让其飞渡险滩。100多年前，有人不畏艰险，攀上礁石，在石峡两边竖立了两根铁杆，称为"辕

天桥水电站

门"。这是一种导航标志，过往船只只要瞄准辕门，就可穿过险滩。

　　天桥村附近枯水期河面宽仅 30 余米，冬季河面结冰成桥，躲藏的激流在这座"冰桥"下发出惊天的涛声。人们称这样的冰桥为"天桥"，意为天神所造的桥。冰桥附近的村庄因此改名为天桥村。1972 年在天桥下游 13 千米的地方，一座连接晋陕两地的钢筋混凝土大桥，飞架大河东西，天堑变成了通途。1977 年，在天桥下游 4 千米的水寨岛，建成了晋陕峡谷的第一座水力发电站——天桥水电站。这是黄河中游北干流上第一座低水头、大流量的河床式径流试验性水电站（径流式水电站就是大坝后面没有调节水库的水电站）。

壶口瀑布

　　黄河通过天桥，两岸高山夹峙，河中十里九滩。长驱 400 多千米后抵达壶口瀑布。壶口瀑布号称"黄河奇观"，是我国仅次于贵州黄果树瀑布的第二大瀑布，其奔腾汹涌的气势是中华民族精神的象征。

　　壶口这个名字很早就已经出现，我国古代最早的地理文献之一《尚

壶口瀑布

书·禹贡》中就有"既载壶口，治梁及岐"的记载。古往今来，无数文人墨客来此游历，吟诗作文，如明代黄光炜的《壶口赋》，惠世扬和刘子诚的《壶口》诗，清代吴炳的《壶口》诗与《壶口考》等。抗日战争时期，诗人光未然还在此创作出了《黄河大合唱》的歌词。

壶口西边是陕西省宜川县，东边是山西省吉县。这一带黄河峡谷两岸下陡上缓，峡谷底宽 250~300 米，谷底以上约 150 米崖岸陡立。黄河河道上宽下窄，在龙王坡以上，河面宽度和峡谷宽度一致；龙王坡以下，河水在平整的谷底冲出一道深槽，只有 30~50 米宽。"源出昆仑衍大流，玉关九转一壶收。"黄河在河谷中奔放而下，骤然收拢到深槽中，河水汇集一处，倾泻而下，形成瀑布。"悬注漾旋，有若壶然"，壶口的名称就是这样得来的。它确实像一个巨大的壶口，倾倒着奔腾的河水，水雾弥天，泥浪喧腾，百流竞汇，万籁轰鸣。

黄河水入"壶口"处，湍流急下，激起的水雾腾空而起，恰似从水底冒出的滚滚浓烟，十数里外皆可观望。春秋两季，流量适中，气温不高，瀑布落差在 20 米左右，急流飞溅，形成弥漫在空中的水雾，就是壶口奇景之一的"水底冒烟"。

冬季的壶口瀑布又是另一番景象。黄河水从两岸形状各异的冰凌、层层叠叠的冰块中飞流直下，激起的水雾在阳光下映射出美丽的彩虹，瀑布下搭起美丽的冰桥，两岸溢流形成的冰柱如同大小不一的冰峰倒挂悬崖，彩虹时隐时现，游移其间，七彩与晶莹映衬，可谓造化之神奇。

旱地行船

壶口瀑布的另一处著名景观就是"旱地行船"。由于壶口瀑布的落差较大，加之瀑布下的深槽狭长幽深，水流湍急，给水上船只的通行带来很大困难。过去从壶口上游顺水下行的船只，不得不先在壶口上边的龙王庙处停靠，人们将货物全部卸下船来，换用人担、畜驮的方法沿着河岸运到下游码头。同时，也是依靠人力将空船拉到河岸上，船下铺设圆形木杠，拖着空船在圆木上滚动前进。到了壶口下游水流较缓处，人们再将船放入水中，装上货物，继续下行。在岸上靠人力拖船很费力气，常常需要上百人拼命地拉纤。后来，随着公路、铁路及壶口附近黄河大桥的修建，过壶口的水上航运已阻断多年，"旱地行船"也只能看到昔日行船留下的痕迹。

"十里龙槽"

壶口瀑布下游大约 5 千米处，在右侧的黄河谷底河床中，有两块梭形巨石巍然屹立在巨流之中，这就是古代被称为"九河之蹬"的孟门山。古人给孟门以极高的评价。相传大禹治水时先壶口，次孟门，后龙门，自上而下，依次凿石引流疏通河道，将洪水排至下游。孟门山由大孟门岛和小孟门岛组成。大孟门岛长约 300 米，宽约 50 米，高出水面约 10 米。岛上有一巨型神龟雕像，龟背上立有大禹雕像。孟门山迎着汹涌奔腾的泥流，昂首挺立，任水滔天，终年不没。

孟门之上，黄河在沉积岩河床上冲刷出一条深槽，黄河就在这条嵌入石

"十里龙槽"

质河床中的深槽里流淌。这条深槽窄的地方 30 多米，宽的地方 50 多米，一直延续到壶口瀑布下，长约 5 千米，当地人称"十里龙槽"。这种谷中谷的现象也称槽谷，是一种非常珍贵的地质遗迹，是瀑布形成、发展、衰落和消亡的证据。

实际上，壶口瀑布是古老的地质演变形成的。壶口下游的龙门地区曾因地壳运动岩层发生断裂，并沿断裂面发生显著的上下错动，形成了东西方向的断层。自北向南的黄河经过断层时，出现瀑布急流。河水经年累月地对河床下切侵蚀，使瀑布跌水不断向上游退移，这种现象是溯源侵蚀的一种类型。据估计，在溯源侵蚀的作用下，瀑布每年以三四厘米的速度退却。经历漫长的地质时期，瀑布从龙门移到壶口，而孟门的石岛就是这种侵蚀的残留部分。

孟门"南接龙门千古气，北牵壶口一丝天"，其雄姿与龙门、壶口组成黄河三绝，而又以自己独特的风貌著称。古诗有"四时雾雨迷壶口，两岸波涛撼孟门"的佳句描写这里的惊涛骇浪，"山随波影动，月照浪花浮"的"孟门夜月"也是壶口地区十大景观之一。

龙门

龙门是晋陕峡谷的最后通道，以形势险要著称。龙门峡谷两岸断壁千仞，似刀劈斧削一般。东岸的龙门山和西岸的梁山伸出山脊，相互靠拢，形成一个狭窄的口门，好像巨钳，束缚着河水，形成湍急的水流。

龙门出口处有两块巨石横卧，使得黄河河道骤然收缩了许多。巨石如门挡住黄河的去路，每当洪水季节，峡口中的水位壅高，而出了峡谷，河谷突然变宽，水位骤然下降，于是在龙门形成明显的水位差，故有"龙门三跌水"之说。"鲤鱼跳龙门"就是指跳跃此处的跌水。

龙门出口处两块巨石间的距离仅120多米，是修筑桥梁的最佳地址，今天的铁路桥与公路桥的桥墩就建在两块巨石之上。

龙门因传说是大禹治水时凿开的，又称"禹门口"。古代在这里曾建有庙宇、楼阁、栈道，形成东西两组布局巧妙、气势恢宏的禹王庙建筑群，在山西的为东禹庙，在陕西的为西禹庙。可惜这些珍贵的古代建筑，在日军侵华期间被破坏殆尽。

龙门之南是开阔平坦的关中平原。黄河之水经过狭窄的龙门突然进入宽阔的河床之中，河性发生很大变化，黄河在宽阔的河道里游荡。

龙门

第六节　黄土高原

　　黄河从青海省东部的龙羊峡到河南省西部的三门峡，穿越了世界上著名的黄土高原。这片广袤的黄土区，西起日月山，东到太行山，南至秦岭，北抵长城，总面积约 64 万平方千米，海拔在 1000~2000 米，黄土厚度几十米到几百米，是世界上最大的黄土堆积区，也是世界上黄土覆盖面积最大的高原。这里因水土流失，每年向黄河输送着巨量的泥沙。"黄"河的盛名，实际上是黄土高原奉赠的。

黄土高原

　　在黄土高原上放眼望去，映入眼帘的是黄色的原野、黄色的道路、黄色的房舍、黄色的尘埃，一个以黄色为基调的世界。黄土高原上的地貌形态从宏观上讲有黄土高原、黄土盆地及黄土冲积平原等。就微观上讲，黄土堆积与侵蚀形成的地貌形态，千奇百怪，蔚为壮观。地形起伏不大的高地为黄土塬，塬面上一望无际，坦荡无垠，但往往深的沟谷会突然出现在人们面前，有的甚至达百米之深；地面起伏显著的是黄土丘陵，在这里黄土堆积的形态或呈长条状的"梁"，或呈馒头状的"峁"，还有黄土沟、黄土崖、黄土桥和黄土柱等。

其实，远古时期的黄土高原并不是现在的这幅景象。那时温和的气候和肥沃的土壤，给动植物提供了良好的自然环境。1973 年，我国考古工作者曾在黄土高原沟壑区的泾河上游马莲河畔合水县境内，发掘出一具较为完整的古象化石。经考古鉴定，这是 200 万年前生活在黄土高原地区的"黄河剑齿象"。这具古象化石从侧面向人们展示了当时黄土高原到处是森林、莽原和湖泊，野马奔驰，羚羊欢叫，古象成群……俨然是一个天然动植物园。

根据考古工作者的发掘证明，蓝田猿人、丁村人、河套人，这些旧石器时代的原始人类就生活在黄河流域的黄土高原上。近代，这里还陆续发现了许多新石器时代仰韶文化的遗存。几十万年来，人类用勤劳的双手开发了这里肥沃的土地，创造了灿烂的古代文化。

黄土高原梯田

风造就的土地

　　关于黄土高原的形成原因众说纷纭，但多数学者认为风力是形成黄土高原的主要动力。

　　在黄土高原的西北是广阔的亚洲内陆，那里有寸草不生的戈壁，有流沙滚滚的腾格里沙漠、乌兰布和沙漠和鄂尔多斯高原的毛乌素沙地等。这些地区白天和夜晚气温相差非常大，岩石内部不同矿物的热胀冷缩程度不一样，长期的反复膨胀、收缩作用，使岩石内部彼此之间的联系变得不那么紧密了，从而开裂、剥落，产生砂粒和粉尘。沙漠中的砂粒被风长年累月地吹来吹去，互相碰撞打击，产生许多细小的颗粒，它们就是形成黄土的主要物质。强劲的西北风刮过，沙尘被卷上天空飞向远方，越细的沙尘飘得越远。在中国版图上，大致可以自西向东看到戈壁—沙漠—黄土这样岩石沉降颗粒逐渐变小的顺序。黄土高原就是几百万年风沙粉尘堆积的结果。

黄土高原沟壑

独特的黄土地貌

黄土高原的水土流失，不仅使黄河成为世界上含沙量最高的河流，同时也使黄土高原地区形成了独特的地貌，地理学上把黄土高原这种沟壑纵深、千沟万壑的地貌形态称为"黄土地貌"。

黄河与它的大小支流，以及这些支流形成的沟谷，将高原上厚厚的黄土侵蚀、切割成支离破碎的以黄土塬、黄土墚和黄土峁为主的地形。我们一般把河流沟谷之间残留的地表坡面倾斜在 10° 以下的地面称为"塬"。塬面平坦但面积各不相等，一般有几十平方千米。最大的董志塬，长 80 千米，最宽处 40 千米，面积超过 2200 平方千米。塬面较为宽阔、平坦，非常适宜耕种，但塬的四周均为沟谷，坡陡谷窄，常发生滑坡、崩塌等现象。那些残留的长条状地形，顶部黄土地面倾斜坡度一般在 20° ~30°，坡面较长，容易被地表径流侵蚀的黄土地貌被称为"墚"。墚一般长达几千米或十几千米，宽几十米到几百米，墚顶宽阔，略有起伏。还有一些是侵蚀残留的孤丘状黄土地貌，被称为"峁"。峁看起来形状如馒头，顶部平坦，面积较小，坡面向四周倾斜。

董志塬

黄土墚

平陆、万泉与清水

黄土高原上有个平陆县，从地名看这里一定是块很平的地方，然而，如果你来到这里，就会发现这儿的地貌恰恰跟名字相反。全县1000多平方千米的土地上，大沟道就有3000多条，纵横交错，把地面分割得支离破碎。

万泉也是黄土高原上的一个县名。人们一听这名字，以为这里一定泉水很多。其实不然，这个万泉县不但没有一个泉眼，甚至连喝口水都十分困难。到处是光秃秃的山梁，要打一口井，也要打到100多米才能见水。

黄土高原上有许多小河流，有的叫清水，有的叫绿水。但实际上都是浑浊的"小黄河"。大概这些名字也反映着人们对万泉、清水的渴望吧。

第七节　从龙门到桃花峪

　　黄河出了龙门就进入古汾渭盆地，继续南流至潼关，受秦岭所阻，便折转东流，直趋三门峡，流程 238 千米。潼关是一个不到 1 千米宽的卡口，将黄河分为两段，上段由龙门至潼关，河谷开阔平坦，两岸滩地连片，河床左右摆动。下段由潼关至三门峡是相对较窄的黄土河谷，谷宽一般 1~2 千米，宽处可达 5 千米，两岸为黄土阶地，高出河面数十米。

　　黄河自三门峡至小浪底后仍向东流，穿行于中条山与崤山之间，构成黄河又一个较长的峡谷。因此段黄河北岸为山西省，南岸为河南省，故称晋豫峡谷。这一段峡谷长 133 千米，多为梯形河谷，谷底宽 200~800 米。较宽河段两岸有川地分布，村庄人口较多；狭窄的河段两岸为悬崖峭壁，是修建水坝的优良地址。三门峡河宽仅 170 米，现已建成三门峡水利枢纽；小浪底是黄河干流最末一个峡口，河宽 300 余米，小浪底水利枢纽就位于此处。黄河出小浪底后，再无峡谷出现。过桃花峪，进入我国地势的第三级阶梯，来到广阔的华北平原。

小北干流

　　龙门至潼关之间 132.5 千米的河道俗称小北干流，是山西、陕西两省的界河。黄河流出龙门，河床由 100 多米骤然展宽到 4 千米以上，最宽处达到 19 千米，平均宽度 8.87 千米。河道两岸为黄土台塬，地势由内向外逐渐抬升，坡度较大，塬面高出河床 50~70 米，从空中俯视好像一个巨大的"水槽"。这个特殊的地理形态，使黄河流经时除向下游输送大量泥沙外，自身的河床也在持续抬高，但因该河段具有揭河底冲刷的特性，这种抬升相当缓慢。

历史上，黄河小北干流河床自然演变，主流游荡不定，"三十年河东，三十年河西"，发生大洪水时，滞洪滞沙，塑造了大片的滩区，在其1100平方千米的河道

流出龙门，黄河河道由窄展宽

内，滩地占了682平方千米。历史上曾发生两岸村民为了争种滩地，修建阻水挑流工程、围垦河道的事情。康熙、雍正年间，两省沿岸村民为争夺滩地屡屡发生大规模的械斗。康熙十三年（1674年），山西永济县鸳鸯村的村民与对面陕西省的村民为争夺黄河滩地，"动千百人，势若公战"。

1985年以来，黄河水利委员会在两岸统一规划，建设控导和护岸工程36处147.5千米，有效控制了河势，促进了地方经济社会的发展。然而，这些工程在产生社会效益的同时，也将小北干流约束在一定的范围内，使其主流摆动的区域大大缩小，也使本来处于自然状态下缓慢抬升的宽阔河床呈现出河槽内明显淤积抬升、工程外滩地几乎不再淤积的状态，致使主河槽比滩地还高，俨然成为一条"小悬河"。

小北干流宽阔的河道形成了大面积的湿地，一方面为生物提供了栖息地，有利于保持生物的多样性；另一方面还可以截留泥沙，减少泥沙在三门峡水库的淤积。湿地面积广阔，在洪水期还能起到一定的蓄洪作用。

关中门户——潼关

古老的潼关位于晋豫峡谷的西口。这里崖高谷深，河道狭窄，水势湍急，与黄河出龙门后那种坦荡缓流形成了鲜明的对比。黄河在潼关附近的大转折，

是它诸多著名的大弯曲之一。唐太宗以"千里黄河此一弯，寒风激浪射潼关"的诗句，描绘了潼关雄伟瑰丽的景色；唐玄宗的"河曲回千里，关门限二京"更把黄河回荡千里的气势和潼关的险要联系在了一起。

以古长安为中心的关中，历史上曾长期是我国政治、经济的中心。潼关正位于关中的东口。它南有秦岭，北接黄河，中间一条狭窄的羊肠小道，往来仅容一辆车马，进可窥视中原，退可设防坚守，成为拱卫关中东部最重要的关隘。古代诗人曾经用"关门扼九州""人间路止潼关险"等诗句来形容它的险要。

渭河在潼关汇入黄河

潼关依山傍河，雄踞陕、晋、豫三省要冲，素有"鸡鸣闻三省"之称，是我国古代著名关隘之一。潼关作为军事要隘，始于春秋战国时代。秦国从晋国夺取潼关之后，开始了吞并六国的大业。此后潼关虽历经战争洗礼，但仍保留着古城的基本风貌，名胜古迹星罗棋布，风陵晓渡、谯楼晚照、秦岭云屏等潼关八景，更是引人入胜。

后来因为修建三门峡水库，潼关古城属水库区，于 20 世纪 50 年代末期由旧址迁往吴村。潼关城的建筑物被拆除，南迁 10 余千米重建。

黄河六大湾

从黄河源头到黄河入海口的直线距离约为 2160 千米，而黄河的实际长度有 5464 千米，可见其主流之曲折蜿蜒。自河源至入海口，黄河干流大的弯曲主要有六个。

黄河第一大湾位于青海、四川、甘肃三省交界处，在古唐克湖水系基础上发育而成，叫唐克湾。黄河在此绕阿尼玛卿山，先向东南流后转西北流，成180度弯曲。

黄河沿阿尼玛卿山和西倾山间的谷地向西北流，因受古共和湖盆及周围山地的影响，逐渐转向东南，又构成一个180度的大弯曲，叫唐乃亥湾，是黄河第二大湾。

龙羊峡以下河川与峡谷相间，在兰州上下连续出现4个小弯，总的流向是先东后北，在兰州形成90度转弯，称为兰州湾，是黄河第三大湾。

走出上游峡谷以后，受周围贺兰山、阴山、吕梁山和鄂尔多斯高原的制约，黄河先向北流穿过银川平原，再向东流横过河套平原，直至托克托，形成黄河最大的河套河湾，是黄河第四大湾。

黄河出龙门后进入汾渭盆地，至陕西潼关受阻于华山，急转90度东流，沿秦岭北麓直趋三门峡，称潼关湾，是黄河第五大湾。

黄河第六大湾是兰考湾，位于河南省兰考东坝头，是1855年黄河在铜瓦厢决口改道后形成的。决口前黄河向东南流入黄海，改道后向东北流入渤海，形成45度弯曲。

万里黄河第一坝

黄河过潼关东流113千米就来到三门峡。它位于河南、山西、陕西三省交界处，是沟通我国中原和西北、西南腹地的险道要冲。

三门峡在我国古代的地理图志上被称为三门山。这是因为在峡谷中有两座石岛立于河中，靠近右岸的是鬼岛，顺河势微曲，像一柄弯刀；左边的神岛，呈鱼脬形屹立中流。此外，左岸有一座半岛切入河中，人称"人门岛"。相传大禹治水时用神斧将高山劈成"人门""神门""鬼门"三道峡谷，三门峡由此得名。

过了三门，一座巍峨的石峰从河心突兀而立，高出水面20多米，滚滚急流扑向石崖，这就是著名的"中流砥柱"。砥柱石上原来刻有"照我来"三个大字。砥柱正对三门，夺"门"而出的河水以空前的凶猛向它冲来，然后分流包柱而过。这里漩涡翻腾，回流激荡，水势十分险恶。有经验的艄公闯过三门后，总要调正船头直向砥柱冲去，然后再巧妙地乘着被砥柱撞击回头的水势，轻拨尾棹，顺水而下，因势利导，化险为夷。这就是"照我来"三个字的真谛。

三门峡坝址原貌

1957年动工兴建的三门峡水利枢纽工程就建在鬼岛、神岛和人门岛上，只留砥柱石孤悬在外，主坝长713.2米，最大坝高106米，被誉为"万里黄河第一坝"。由于当时缺乏实践经验，设计时对泥沙淤积的严重性和它的影响估计不足，水库投入使用后泥沙淤积十分严重，淤积部位由三门峡到潼关的峡谷河段迅速向渭河下游发展，严重威胁关中平原和西安市的安全。于是从1965年开始，政府对其先后进行了两次改建，第一次在左岸增加了两条泄流排沙隧洞，并将4个直径7.5米的发电钢管改为泄流排沙管；第二次是打开了大坝施工时导流用的8个底孔。由于底孔的位置最接近河床，泄流排沙的效果更好。改建后的三门峡水利枢纽在防洪、防凌、灌溉、发电等方面都更能发挥其综合水利效益。

　　每年的10月至次年的6月库区蓄水时，三门峡谷便成了一个美丽的湖泊，面积约200平方千米。从三门峡大坝至山西芮城大禹渡120千米间，碧波粼粼，一望无际。两岸青山绿树，绵延不断，水光山色，相映如画。每年入冬以后到次年初春这段时间，成千上万只白天鹅从西伯利亚迁徙到这里过冬，在三门峡水库广阔明澈的湖面上自由自在地飞翔、嬉水，休养生息。

三门峡水库大坝

中流砥柱

　　中流砥柱出自《晏子春秋·内篇谏下》"吾尝从君济于河，鼋衔左骖，以入砥柱之中流"，意思是指就像屹立在黄河急流中的砥柱山一样，比喻坚强独立的人能在动荡艰难的环境中起支柱作用。相传砥柱是大禹治水时留下的镇河石柱。在砥柱山的北边，刻有唐代魏征所作的歌颂大禹治河功德的《砥柱山铭》——仰临砥柱，北望龙门。茫茫禹迹，浩浩长春。

千年雄关函谷关

　　以"一夫当关，万夫莫开"而名扬天下的函谷关，坐落在河南省灵宝市城北 15 千米的坡头乡王垛村。因关城建在山谷中，而山谷深险如函（函，就是匣子），所以称函谷关。这是一条在很深的沟谷中蜿蜒的狭长隧道，南起终南山，北至黄河，全长 15 千米，沟壁至少 50 米高，一些地方宽仅 2 米，只能容下辆牛车。由于它十分狭窄，过去只要几个士兵就能把守。

　　函谷关是古代洛阳和长安之间的必经之路，也是兵家必争之地。按照早期史学家们的说法，谁取了函谷关，谁就能得天下。所以函谷关是我国建置最早的雄关要塞之一，在汉代以前，这里就是重要的关隘。据《灵宝县志》记载，函谷关"西据高原，东临绝涧，南接秦岭，北塞黄河。一人守关，可以当百，由是函谷之名，遂雄天下"。

　　函谷关的意义不只在军事上。2000 多年前，它立关不久，就迎来了一位重要人物。他就是中国历史上伟大的思想家、道家学派的创始人老子。据说，老子辞去洛阳的官职，骑着青牛来到这里。函谷关的关令尹喜早就耳闻老子的大名，于是向老子请教"道"，老子挥毫写下了千古奇书《道德经》。

　　现在，在函谷关老子著经的地方建有太初宫，殿内塑有老子坐像。在函谷关所在的河南省灵宝市王垛村，还保留着一些与老子有关的风俗。如男婚

女嫁之时，迎娶队伍一般都不径直回到家中，而要先到函谷关太初宫老子像前鸣放鞭炮，叩头祭拜。

小浪底水利枢纽

小浪底水库位于黄河干流的最后一段峡谷中，是三门峡以下唯一不被淤死的一段河道，也是唯一能够全面承担防洪、防凌、减淤、灌溉、供水、发电等任务的综合性水利枢纽工程。

从 20 世纪 30 年代提出小浪底坝址的查勘报告起，这里寄托了几代水利工作者的治河梦想。1953 年，黄河水利委员会第一钻探队在这里打下 11 个地质钻孔，拉开了小浪底工程前期工作的序幕，后因三门峡水库的教训和三年严重困难时期，小浪底工程的前期工作一度搁浅。20 世纪 70 年代初，近千人的勘测设计队伍进驻小浪底，开展了小浪底工程勘测设计大会战。后来因这里异常复杂的地质条件，筹建工作又一次暂停。

随着各种难题一个个破解，小浪底水利枢纽前期工程终于在 1991 年 9 月动工，1994 年 9 月主体工程开工建设，2001 年如期完工。工程全部竣工蓄水后，水库面积达 272.3 平方千米，控制流域面积 69.4 万平方千米；总装机容量为 180 万千瓦，年发电量为 58.5 亿千瓦时，使黄河下游防洪标准由 60 年一遇提高到千年一遇。

如今，在黄河水沙调控体系建设中，小浪底水利枢纽以其优越的自然条件、重要的战略位置和巨大的调控功能，发挥着"龙头"作用。它与中游已建的万家寨、三门峡、陆浑、故县水库，形成功能强劲的水库群，能有效调控进入下游河道的水沙，解决下游河道淤积、洪水威胁及水资源紧缺等问题。

小浪底水利枢纽工程建设还带动了当地旅游业的发展。在小浪底库区，人们既可观赏到雄伟的大坝，巍峨的进水塔，又能领略到变幻多姿的湖光山色。乘游船溯河而上，只见两岸层林叠翠，峡谷幽深，美不胜收。如果有幸赶上调水调沙，还能观赏到人造洪峰如瀑布一样从出水口喷涌而出的非凡气

小浪底水利枢纽

势。在大坝下游，随着黄河调水调沙和大流量洪水的持续下泄，含有大量泥沙的浊流流向下游河道，高含沙量的河水使水中供氧严重不足，导致鱼儿翻出水面，顺流而下，形成"大河流鱼"的壮观景象。

小浪底水库排沙

中游与下游分界的地方——桃花峪

对于黄河中游与下游的分界点，过去在不同的专业领域有不同的认定，有人认为是河南洛阳的旧孟津县城（今孟津区），有人认为在河南郑州的桃花峪，两地相距 100 千米左右。

"家住孟津河，门对孟津口。常有江南船，寄书家中否。"这是唐代诗人王维《杂诗三首》中的一首。诗中提到的孟津河，就是黄河流经孟津的这一段。

唐代以前，这一段河道比较稳定，河面也比较窄，河道中间又突起一块水中沙洲，成为洛阳附近最便于渡河的地点。这一段曾经有多个渡口，其中最著名的当数孟津古渡。周武王曾经在这里大会八百诸侯，渡过黄河，一举灭掉殷商。从那时起直到五代，这个渡口一直是兵家必争的战略要地。

武王伐纣时的孟津会盟，是历史上的一件大事，因此孟津在古代又称盟津，今天的会盟镇也由此得名。会盟镇是原来的孟津县城，也叫"旧孟津"。黄河在孟津流经最后一段峡谷小浪底后进入华北平原，因此"旧孟津"是地理学界公认的黄河中下游分界点。

黄河中下游的分界点由河南洛阳的旧孟津改为郑州的桃花峪，主要与这里的地势有关。我国地势三级阶梯的第二级阶梯与第三级阶梯的分界线之一就有太行山脉，而河南的西部恰好就位于太行山余脉以及伏牛山的东西两侧。"旧孟津"处在我国地势的第二级阶梯上，而桃花峪则正好处在两大阶梯的交界处，属于山地和平原的衔接处。此外，桃花峪以下河段落差小，泥沙淤积使黄河河道成为地上河，黄河的大堤便成了分水岭，这使得黄河下游基本上保持一支独流汇入渤海的情况，与中游形成明显的差异。

黄河桃花峪控导工程

第八节　下游悬河

过了郑州桃花峪，黄河就进入了下游。这里河面开阔，波涌连天，与激流回荡的峡谷河段截然不同。从桃花峪到入海口，流程786千米，浩荡的大河被称为"水上长城"的两岸大堤约束了。

黄河进入下游后，由于河道平坦，水流变缓，泥沙大量淤积。据水文测验，黄河带到下游的泥沙平均每年约有3/4被送到入海口，不断地填海造陆；另外约1/4，大约4亿吨淤积在下游河道内，使河床逐年升高。年复一年，下游河道成了高出地面的"悬河"。现在的黄河河床，一般比堤外地面高出4~6米，在河南开封市，竟高出10米以上，比三层楼房还高，远远望去，河中船只就像在空中航行。

"水上长城"

"水上长城"指的是黄河下游西自河南郑州东至山东黄河入海口，绵延横亘在华北平原上的黄河大堤。黄河下游由于泥沙淤积，河床抬高，形成了著名的"地上悬河"，滚滚河水就只有依靠两岸大堤来约束。堤防是我国人民长期以来防御洪水的主要工程措施。早在春秋时期，黄河下游就修有堤防，历代不断改建、加固与完善，在抗洪斗争中发挥了重要作用。

新中国成立后，政府先后对黄河大堤进行过四次加高培厚，使其成为防御洪水的坚固屏障。如今，黄河堤防北岸起自河南孟州市，南岸起自郑州邙山脚下，北岸和南岸的堤防长度分别为740多千米与620多千米，两岸堤防全长1371千米。

中原沃土

黄河的滚滚泥沙在下游淤积，填海造陆，造就了一个幅员辽阔、沃野千里的华北平原。而位于黄河中下游的中原地带，自古为华夏腹地。《尚书·禹贡》序列九州，豫州独处中央，故名"中州"。因其中大河纵横，平原广阔，又称"中原"。

中原大地有黄河的滋润，土质松软肥沃，气候四季分明，没有酷暑严寒，非常适宜农耕。这片肥沃的土地，是中华农耕文化的发祥地之一。

据考古学家研究，河南新郑裴李岗发掘的村落遗址，是我国目前最早的村落遗址，距今已有8000年以上的历史，此外中州大地上遗存的古城郭、古陵墓、古建筑可谓星罗棋布。我们的祖先在中原这片古老的土地上繁衍生息，创造了光辉灿烂的中华文明。

在新郑轩辕黄帝故里，可以看到许多与黄帝有关的名胜古迹，如黄帝故里、南崖轩辕宫、少典祠等。新郑市内早年间有一古老的石柱，高约5米，直径2米，底大头小，顶有小坑，柱体镌刻"天心石"三字。这里流传的民间神话传说中讲，"天心石"所立之地就是轩辕黄帝的诞生之地。

中州为地之中，历代王朝都以能雄居中原而自豪。自轩辕黄帝大败蚩尤建都新郑以后，这里就成了历代兵家的必争之地，也成为历代王朝建都的理想场所。洛阳为九朝古都，始建于汉代的洛阳白马寺是中原第一座佛教寺院，形成于北魏至唐的龙门石窟被誉为中国三大佛教艺术宝库之一。开封为七朝古都，铁塔、龙亭、相国寺等名胜古迹让人叹为观止。安阳为五朝古都，殷墟博物苑中琳琅满目的文物，展示了我国殷商时期的风俗、民情、政治、文明。黄河南岸的郑州曾为商之隞都，俗称"商城"。

黄河流经中原，既有洪水之患，也带来了丰富的水源。在黄河支流的漳水岸边修建的漳水十二渠，是我国历史上第一个大型农田水利工程；兼有水运之便和灌溉之利的鸿沟，连通了中原地区黄河、淮河之间的诸多水道。古

人对黄河水利的开发给中原地区的发展带来了极大的便利。

鸿沟

　　魏国在公元前 360 年动工修建了沟通黄河与淮河两大水系的鸿沟。鸿沟主要用于航运，在水量富余时也可用于灌溉。这项工程规模宏大，技术复杂，它的成功修建，标志着我国古代的水利工程技术已经进入成熟阶段。鸿沟曾经是楚汉相争时刘邦、项羽两军对峙的临时边界，汉代以后黄河不断泛滥改道，导致鸿沟河道阻塞淤积，最终被夷为平地。

今昔花园口

　　黄河南岸郑州段有个古渡口，叫花园口。明代以前，还没有"花园口"这个名字，那时叫"桂家庄"。明嘉靖年间，黄河岸边许家堂村出了个吏部尚书，名叫许赞。他在这里修建了一座花园，方圆 500 多亩，种植四季花木，终年盛开不谢，引得远近的人们争往游览观赏。后来黄河南滚改道，滔滔洪水把这座美丽的花园吞没了。当地人怀念此地，给其起名"花园口"。

　　清代，黄河又两次在这里决口。1938 年 6 月，日本侵略军逼近郑州，国民党军队不战即溃，仿效古代以水代兵，在此扒开黄河大堤，使豫、皖、苏 3 省 44 县被淹，89 万人死亡，391 万难民流离失所。如今，花园口黄河大堤上建起了一处扒口堵口纪事广场，《黄河花园口扒口堵口纪事》巨型浮雕讲述了这个事件的经过。

　　几百年过去了，许家花园早已被洪水淹没，古老的渡口也在 20 世纪 80 年代因郑州黄河公路大桥建成而永远地消失了，但花园口却被永远地留存了下来。这里的黄河河面宽阔，气势磅礴，属于典型的游荡型河段，河势变化多端。在黄河大堤上，靠近河水的堤段会修建非常坚固的防护工程，叫作"险工"，素有黄河下游"第一险"之称的花园口险工，成为考察黄河的最佳去处。花园口险工90号坝是花园口险工的主坝，坝长120多米，坝下的根石就有23米深，是黄河上根石最深的一道坝。这个坝建于清乾隆八年（1743年），已经有270多年的历史了。清嘉庆十三年（1808年）在这里修建了一座将军庙，是百姓祈祷黄河安澜的地方，庙址就是今天的花园口引黄闸，后来这座坝也被称为"将军坝"。

黄河花园口将军坝

花园口水文站

1938年7月设立的花园口水文站，是黄河上最重要的水文站，也是世界上规模最大和测验难度最大的水文站。它担负着为国家防总、黄河防总收集水文信息、提供水沙情报的重任。

花园口水文站还是黄河下游洪水的报汛站，负责提供黄河下游的实时水情，保证测报好22300米³/秒及其以下各级洪水，对超标洪水和异常洪水的测验有应急措施。当花园口洪峰流量超过4000米³/秒时，即对洪峰进行编号，依次称为一号洪峰、二号洪峰……近年，作为小浪底至花园口区间暴雨洪水预警预报系统建设项目的重点，花园口水文站升级后成为黄河上第一个数字化水文站。

花园口水文站

游荡的水流

　　黄河下游河南段北岸自河南孟州市以下、南岸自郑州市邙山以下都修建了防洪大堤。自此向下的黄河大堤堤距一般宽达 10 千米左右，窄处也有 5 千米，河南长垣市大车集两岸相距竟达 24 千米。黄河在这样宽阔的河道内，左右游荡，有时合成一股，有时分成许多岔流，河中沙滩星罗棋布，串沟互相交错，流向紊乱不定，滩岸变化复杂。从郑州桃花峪至河南、山东两省交界的高村，属于典型的游荡性河段。这一河段主流摆动频繁，极易发生"横河""斜河""滚河"，很难有效控制，是下游防洪的重点河段。

　　"横河""斜河"就是河流主流大体垂直于河道或与河道有较大的夹角，顶冲滩岸或直冲大堤的现象。此时如果抢护不及时，就有可能发生决口。"滚

黄河下游河道

河"是说河流主槽在演变的过程中发生大体平行于原主槽的位置迁移，就是洪水期主流在两堤之间突然发生长距离摆动的现象。黄河下游河道在水量不太大时，主槽发生淤积，形成"槽高、滩低、堤根洼"的"二级悬河"。这样的河床在遇大水时，水流可能会直冲堤河，顺堤行洪，使主槽位置发生迁移，就会形成"滚河"。这种"滚河"对防洪威胁最大，需要采取工程措施加以预防。

　　黄河下游河道是一个广阔的区域，洪水退落，堤内便有大片土地，这就是人们常说的滩区。因为高滩区常年不被水淹，堤外的居民就来这里开荒种田，甚至定居下来。经过漫长的历史时期，滩区里出现了许多村落。目前，河南、山东的黄河滩区有 2000 多个村庄，居民 189.5 万人。滩区居民为了防水，把房子都建在高台上，称为"台房"。住在台房里的人家世代以在黄河滩地上耕种为生，主要依靠一季夏粮维持全年生计。

黄河滩区的村庄和农田

黄河嫩滩上的"牛肚子"与"陷阱窝"

　　在黄河下游的河槽内，有些滩地经常上水，时冲时淤，杂草难以生存，这样的滩地俗称嫩滩。黄河嫩滩上有不少有趣的现象，"牛肚子""陷阱窝"就是其中的两例。

　　"牛肚子"是指人站在嫩滩上会一起一伏，像站在一只喘着气的牛肚子上一样。形成"牛肚子"的地方在上水前一般是一片小洼地，上水时洼地里淤了很多粗沙，后又在上面淤了一层黏土。水退以后，人可以在上面走动，黏土层没有破裂，饱含水分的粗沙因受压而起伏。

　　"陷阱窝"是嫩滩上的危险区，表面看似干燥，下面却是含有大量水分的黏土团，像个稀泥缸，人掉进去后越挣扎越下沉，非常危险。这时，应在周围挖些坑，使黏土团里的水分渗出来，人就不会下陷了。

黄河的"豆腐腰"

过了古城开封不远，黄河由兰考县北部的东坝头折向东北，奔流在广阔的河南东北部和鲁西南平原上，到台前县孙口，流程近 200 千米。这一段是黄河下游宽河道向窄河道转变的过渡河段，所谓黄河"铜头、铁尾、豆腐腰"的"豆腐腰"，指的就是这一段河道。"豆腐腰"的意思就是这里的大堤像豆腐一样松软，经不起风浪，是历史上黄河决口最频繁的河段。

这一段的河道是清咸丰五年（1855 年）黄河在铜瓦厢决口改道后形成的。河道明显的特点是上段堤距宽，下段堤距窄。光绪初年新河道筑成大堤后，许多水沟河汊被圈在了大堤里面，洪水来了，这些沟沟汊汊就引水顶冲大堤，形成"横河""斜河"，中小洪水也能出大险。在老的决口处堤防的基础多为深层流沙，而且在堵口时使用的大量的秸柳料等留在堤基中，日久腐烂，孔隙很多。加上该河段绝大部分堤防常年不靠河，难以经受大流量、高水位洪水的长期浸泡，致使这里的堤防很不牢固。1855—1938 年间，黄河下游 200 余次决溢，其中一半决口发生在这一段。

东坝头附近与对岸长垣市的大堤距离 24 千米，是黄河下游堤距最远的地方。这里河床宽阔，泥沙淤积尤为突出。洪水季节，波涛连天，一望无际；枯水时期，水流缓慢，河水较浅，流路变幻无常。这个险要的地方一直是治理黄河的主战场。新中国成立之后，毛泽东主席曾于 1952 年和 1958 年两次去东坝头视察，并作出"要把黄河的事情办好"的指示。

黄河九曲十八弯，东坝头是黄河入海前最后一个大拐弯的地方，在不到 1 千米的距离内，黄河从东流转向东北流，沿着这个方向贯穿整个山东省，向着渤海湾奔流而去。

黄河最后一道弯

黄河洪水的"招待所"

从孙口向东北行20多千米，黄河就进入了山东省东阿县境内。黄河北岸险工石坝相接，南岸山水相依，为水泊梁山故地东平湖。东平湖是黄河下游仅有的一个天然湖泊，地处梁山和东平县交界处。它北临黄河，东有群山屏障，大汶河自湖东部注入，古老的京杭运河沿湖西侧进入黄河。

黄河下游的河道上宽下窄，形状像个漏斗。在河南省境内，河床的宽度一般为10千米，最宽处有20多千米，到山东省东阿县的艾山一带，水面收

黄河艾山卡口

缩到只有 300 多米宽，被称为艾山卡口。这种"上宽下窄"的自然特点，给防洪带来了极为不利的形势。宽河段好比"大肚子"，窄河段好比"细肠子"。汛期，滔滔洪水迅猛地由"大肚子"向"细肠子"里灌，"细肠子"接纳不了，排泄不畅，就会出问题。东平湖恰巧就在"大肚子"和"细肠子"的相接处，就是个天然的蓄水库。

1958 年，政府在东平湖老湖区的西南方向增建了新湖区。新筑了 50 多千米湖堤，修建了进湖闸、出湖闸、运河穿黄船闸等，昔日的古水泊正式被命名为"东平湖水库"。这个水库用黄河上的工程术语来讲，叫"分洪滞洪工程"。它的作用是当黄河出现了超过山东河段防洪标准的洪水时，就可以视情况主动将洪水引进湖里"休息休息"，缓和一下局势，然后再放出去，所以人们风趣地称它是黄河洪水的"招待所"。在黄河下游，类似的"招待所"还有北金堤分洪滞洪区。

东平湖三面环山，景色优美，素有"小洞庭"之称。东平湖的自然景观也吸引了历代众多的文人墨客，李白、韩愈、白居易、李商隐、辛弃疾、苏辙等都曾在此留下脍炙人口的诗篇。

东平湖

泉城济南

黄河在入海前流经的最后一个大城市，就是以"泉城"著称的济南。济南的名字来源于西汉时设立的济南郡，含义为"济水之南"。济水发源于现河南省济源市，后因黄河改道夺其河床，成为黄河下游的干流。

济南是中华文明的重要发祥地之一，也是国务院公布的历史文化名城。远在 9000 年前的新石器时代早期，已经有先民在此繁衍生息。闻名世界的史前文化——龙山文化就最先发现于此。

济南的地势是南高北低，来自南部山区的地下径流以及暗河，在济南城涌出地表而成泉水。济南素以泉水众多而闻名天下，有名字的泉眼就有 72 个，趵突泉更是驰名天下。众多泉水流向城北，汇成"四面荷花三面柳，一城山色半城湖"的大明湖。

黄河岸边的洛口镇是古代泺水入济水的地方，所以又叫"泺口"，有人将"泺口"写作"雒口"，有人认为"雒"与"洛"相通，"泺口"就变成了"洛口"。洛口占据两河交汇的有利地势，到明代就发展成为繁华的码头。1855 年黄河改道，夺大清河入海，洛口变为黄河沿岸重镇，黄河航运下可直通大海，上及鲁南、河南、山西等地。现在已经没有洛口镇的建制，这里归属济南市天桥区。

洛口素有济南黄河防汛北大门之称。清光绪十六年（1890 年），在这一河段筑起了泺口险工，最初为秸埽坝，后逐步改为石坝。由于河道逐年抬高，悬河之势日益加剧，现在这一河段的河床已高出济南市天桥区地面 5 米，对济南市构成严重威胁。近几十年来，政府对泺口险工进行了三次加高改建，利用黄河泥沙在大堤背面淤宽 105 米左右，抗洪能力显著增强。

七十二泉

济南因城中遍布泉水而称"泉城"。清末小说家刘鹗在《老残游记》中写济南"家家泉水，户户垂杨"。金代时，有人在济南立过一块名泉碑，列举济南有七十二泉，后来碑虽然被毁掉了，但七十二泉之说却流传了下来。其实这个数字并不确切，1983年济南市园林管理处做过一次考察，记录在册的市区内泉眼就有144处。他们把这众多的泉分列为四大泉群：趵突泉群、黑虎泉群、珍珠泉群和五龙潭泉群。

趵突泉

第六章

黄河入海流

黄河奔腾东流，在山东省东营市垦利区注入渤海。由于过去利津以下不设河防，黄河水任意摆动漫流，有"三年两决口，十年一改道"之说。自 1855 年黄河下游在铜瓦厢改道夺大清河入渤海以来，据不完全统计，现行河口三角洲上决口改道已经有 50 多次。在不断泛滥淤积中，形成了以垦利宁海为顶点，北起徒骇河河口、南至支脉沟河口，面积约 6000 平方千米的黄河三角洲。

第一节　最年轻的土地

　　每年黄河将黄土高原上 10 多亿吨的泥沙裹挟到这里，由于黄河入海的地方海潮比较弱，泥沙很难被海流带走，有 60%~80% 的河沙淤落在河口和滨海区，在河海交汇处形成气势壮观的填海造陆运动，茫茫沧海变桑田，新生河口三角洲在这里向大海延伸。

　　这里有我国最年轻的土地，并且是一块依然在增长的土地。在黄河流量正常的年份，陆地每年向大海延伸两千米左右，每年平均造陆 20 多平方千米，每天差不多要淤出一个足球场的面积。

　　当河口河床淤积抬高和延伸到一定程度时，在一定的来水来沙条件下，主流就会出现摆动、出汊，并有可能决口改道。黄河河口的演变就是河口河道的淤积—延伸—摆动—改道的周期性变化过程，使河口三角洲不断扩大、岸线不断向海域推进。今天，在这块充满活力的土地上，一条条微微隆起的地带仍然依稀可辨，那就是黄河百余年来入海走过的路——三角洲上的黄河故道。铁门关故道、毛丝坨故道、甜水沟故道、神仙沟故道、刁口河故道、现行清水

新生的土地

沟流路……一条条故道与正在流淌的新河共同诉说着河口变迁的历史。

神仙沟的传说

　　有一次黄河改道后，留下的故道形成了一个无潮区，涨潮不见水深，落潮不露海滩，不管海上有多大风浪，船只一进入这条河道就风平浪静，确保平安了，当地渔民就称它为"神仙沟"。神仙沟全长 60 千米，起于黄河大堤，穿越孤岛、仙河两个姊妹小镇，从东营中心渔港注入渤海湾。如今的神仙沟，已是一条集防洪排涝、蓄水灌溉、生态景观于一体的河流。

　　关于神仙沟名称的由来还有一个故事。传说晚清年间有个打鱼的小伙子叫张良，家住黄河口的渔窝棚。一天，大海上风平浪静，鱼虾翻滚。正在海上打鱼的张良和同伴见此情景就多打了一会儿。俗话说"天有不测风云"，正当张良几个人唱着渔歌，满载而归时，海面上突然狂风大作，白浪滔天。霎时，电闪雷鸣，暴雨如注，水天相连。张良几个人的小船一会儿被扬上天，一会儿被摔入波涛，几个人都迷失了方向。就在这时，一盏红灯在他们面前冉冉升起，隐隐约约又传来鹿鸣鹤唳，箫笛玉音。红灯、仙乐使张良他们看到了希望，他们知道有灯的地方一定有人家。于是他们喊着号子，奋力向红灯亮起的方向摇去。红灯若隐若现，眼看他们就要赶上红灯了，但是红灯却消失了。不多时，天已破晓，张良几个人一看，船儿驶进了一条小河。小河水清见底，鱼儿闲游，水鸟翔舞。河旁芦苇丛生，蒲草没人，鲜花盛开，清香扑鼻。张良几个人回味起晚上的惊涛骇浪，又看看这佳景，认为这小河沟就是神仙住的地方，他们就把这条河沟叫作神仙沟。神仙沟的名字越叫越响，一直流传到现在。

　　神仙沟最美的时候当属春季。每年 5 月初，神仙沟流域的 10 万亩槐林开出洁白的槐花。槐花的芳香弥漫在整个河流的上空，一场空前的槐花盛宴在这里徐徐展开，吸引着四面八方的游客和放蜂人纷至沓来。

神仙沟故道

"千童城"和肖神庙的变迁

传说当年秦始皇为了长生不老，曾派徐福带领上千名童男童女，渡海求仙，还在当时的黄河口盖了一座"千童城"。城址临河濒海，城的东面就是茫茫大海。可是如今，"千童城"的位置在滨州市阳信县境内，已经远离黄河入海口上百千米了。

利津县城东 10 多千米处的肖神庙，百年前曾经是个繁荣的大海港，同大连、营口、烟台等地来往甚密，《利津县志》曾有"海舰停泊，直抵肖神庙"的记载。那时，肖神庙是大清河的入海口。大清河原是一条清水河，发源于泰山脚下，由东平湖东流至利津县的肖神庙注入渤海。1855 年，黄河由铜瓦厢决口改道东流，夺大清河入渤海。从此，黄河的巨量泥沙便淤积在河口一带，并不断向海上延伸，到现在只不过 160 多年的时间，肖神庙也已远离入海口 60 多千米了。

　　"千童城"和肖神庙的位置，为什么由靠海变得远离海岸？昔日的"沧海"为什么会变成了"桑田"？这就是黄河千里迢迢从黄土高原搬运大量泥沙"填海造陆"的结果。黄河以"善淤、善决、善徙"而闻名，它的这个特点在入海口一带表现为"淤积—延伸—改道"，如此反复循环，便造出大面积的陆地。黄河每年从上中游搬运下来的 16 亿吨泥沙，约有 4 亿吨淤积在下游河道，剩下的大部分淤积在河口附近的浅海区。黄河近代三角洲以利津县东的宁海为顶点，随着三角洲的发育和工农业生产发展的需要，人们采取工程控制，使三角洲顶点逐渐下移了 20 多千米，到了渔洼附近，后来又移到渔洼以下的西河口，黄河流路的摆动范围也变小了。

　　根据观测，黄河在 1976 年从清水沟入海后的 10 年间，在入海流路范围内造陆 436 平方千米，平均每年造陆 43.6 平方千米，入海口平均每年向前推进 2.7 千米。这就是说，10 年的时间，黄河不但造出了一大块陆地，还为自己增加了 20 多千米的长度。"千童城"和肖神庙位置的变迁，正是黄河填海造陆的结果。

黄河孤岛

　　黄河的入海口有时不止一个，当地人习惯称主要入海口为"一河"，其他的依次为"二河""三河"。1947 年以后的几年里，黄河就是三汊入海的局面，神仙沟为"一河"，同时还有"二河"甜水沟、"三河"宋春荣沟。三股水入海的河道，把黄河三角洲与内陆分隔开来，形成了一片海岛，孤零零地处在荒野之中，被人们称为"孤岛"。甜水沟从岛的中间流过，把孤岛分为两半，大的一半被称作"大孤岛"，另一小半被称作"小孤岛"。从 1953 年起，水流全部被神仙沟夺走，甜水沟与宋春荣沟干涸，从此，孤岛不孤，与陆地连成一片，但孤岛的地名却一直保留了下来。

　　早年的黄河孤岛淤泥遍地，杂草丛生，蚊虻成群，人烟稀少。这里曾流传着这样一首民谣："大孤岛，人烟少，年年洪水赶着跑，人过不停步，鸟过不搭巢。"这种荒凉的景象，直到 20 世纪 50 年代还没有改变。

20 世纪 60 年代初，30 多名牧马战士来到孤岛，踏上芦苇丛生的泥泞沼泽。他们和当地群众一起修筑了防洪防潮堤，兴建了引黄灌溉工程，营造了防风林带，开辟了草场，把昔日荒滩变成了水草丰美的牧场。人们在生产大批优良骒马的同时，还开垦了上万公顷的粮田。20 世纪 60 年代末，胜利油田在这里进行石油勘探开发，1992 年设立的孤岛镇已成为黄河三角洲地区新崛起的石油工业重镇。

孤东油田钻井群

第二节　逐河而居的新移民

河口三角洲早期的移民大多是从山西洪洞、直隶枣强等地迁来的。从19世纪末开始，在河口新淤地逐渐形成大面积的"垦区"。四面八方的垦荒者来到这里，构建起了新的移民群体。其中有相当一部分人是农忙时在此居住、收获后返回原籍，周而复始，迁徙不定。移民主要来自全国11个省区的107个市县，以鲁西南黄泛区的移民为主。由于新移民来自不同的地域，有着不同的风俗、习惯、爱好和文化，使这一地区形成了"居民杂处、民俗各异、村庄散落、顺河而徙"的鲜明特点。

待要吃饱饭，围着黄河转

黄河每年都在入海口淤出新的土地来，附近的人称之为"喷地"，称这些淤荒地为"大洼"，到"大洼"里种地就是"下洼"。下洼的人随着新淤土地一年又一年地向前推进，人们把这形象地叫作"跟着黄河跑"，或"赶黄河"。

下洼的人家通常会盖一处简易的房舍落脚，统称为"洼屋子"。最简陋的屋子一半在地下，一半在地上，叫"地屋子"。具体的称呼前会冠以主人的姓，如"张家屋子""李家屋子"。

下洼的都是本地人，最初离家不甚远，一般是春去冬回，俗称"跑趟户"。后来越走越远，有人觉得不方便，就常年住下，生儿育女，渐渐地在这些地方就形成了村庄。许多叫"五家子""十七户"的村庄，大半是这样形成的。

黄河边有一句俗语叫"待要吃饱饭，围着黄河转"。黄河每一年的丰水期都会新淤出大约3万亩的土地，枯水期也能有一两万亩。从寿光、鲁西南

黄河口地区的河道

或其他地方过来的移民，只要有新淤土地，他们就马上追逐着去开垦。种上庄稼，当年就可以收获。

　　黄河自 1855 年改道从这里入海，到清末的 50 多年里，在垦利西部、中部淤出了大面积的陆地。这一时期的移民主要来自潍坊北部、与广饶临界的寿光和广北地区。他们携家带口来到垦利中部开荒，组建起了像"桃园子"这样较大的移民新村。来自不同地区的移民，在一定的历史时期内依然保留着各自的风俗习惯，使这里的文化呈现出多元性的特点。常常一个村里不同人家过年、娶媳妇的风俗都有着相当大的差异。

　　新中国成立后，垦区的农业生产发展更加迅速，连年丰收，垦区已经成为全省的粮库。一首当时广为流传的民谣唱道："垦区淤地大无边，十万人口来种田。趁天下种秋来收，家家户户吃饱饭。"1949 年至 1968 年间，陆陆续续有五万多人来到垦区，在这里进行生产、生活。国营的垦殖活动始于 20 世纪 60 年代初，中国人民解放军先后来此军垦，开垦了数百万公顷的荒地，后来陆续将土地移交给黄河农场和垦利良种场。

吕剧

　　清朝末年，在黄河三角洲这块既古老又年轻的土地上诞生了中国最年轻的剧种——吕剧。它的发祥地在黄河三角洲东营市牛庄镇的时家村，是鲁西移民将家乡的山东琴书传到这里演变而来的。

　　历史上，黄河三角洲一带的农民生活十分困苦，有些无法生活的农民就靠着走乡串户卖艺为生。真正的吕剧是在1903年腊月廿三晚上正式搬上舞台的。

　　吕剧最初的名称并不叫吕剧，而是"驴戏"。因为最早的剧目《王小赶脚》用过驴形道具表演跑驴，所以当地老百姓给它取名叫"驴戏"，并称这类演员叫"跑驴的"。直到1953年，取我国古音乐十一律"六吕"的"吕"字，"驴戏"才正式被定名为"吕剧"。现在吕剧是山东最具代表性的地方剧种，也是我国八大戏曲剧种之一。

黄河口的地名文化

　　黄河口的地名有着拓荒地的鲜明特色。在起村名的时候，有的以老家的村名为新村名；有的以地块的长度命名，1200村就是它的土地有1200步长。有的以产业命名，这里过去曾是沿海盐滩，盐业非常发达，从广饶到沿海区都有很大的盐场，一些古老的地方以河沟或海港命名，如铁门关。还有一些以户数和序号命名的，如十四户、十六户、一村、十五村等。以部队命名的是成批的移民，用数字序号排列下来，例如6旅、8旅，也就是多少户编成一个旅。民国时期有段时间，移民来一批就编成一组，一共八个大组，这个地方就叫八大组。

　　黄河三角洲地区移民的历史可以追溯到明代初年。明初有李姓一家由枣强迁来大清河口，择一高地建村，取名"台子李"。台子李村西原来有一个村庄，是有名的"杨家码头"。黄河夺大清河入海之后，码头被破坏，"杨家码头"

改名"窝泉"。1947年，"台子李"与"窝泉"合并为一村，取名"双合"。明洪武二年（1369年）由山西洪洞迁来16户人家，16户人家各不同姓，联合建村，取名"十六户"。1926年黄河决口，冲毁村北堤坝，部分居民在残坝头北侧另建新村，名叫"北坝头"。1946年，因十六户村大，分为南北两村。北边的村大，自称为"大十六户"，南边的不甘称"小"，定名为"南十六户"。

孤东原来紧靠海边，盐碱地上十分荒凉，只有一棵柳树。后来胜利油田在孤东地区展开了石油大会战，3万多名石油工人和民工浩浩荡荡开进这片茫茫荒原。会战的开路先锋——建工指挥部就设在这棵大柳树附近，而要到前线总指挥部也必须经过这"一棵树"。因为这里当时四周一片荒凉，没有其他标志物，这棵独一无二的柳树就显得很突出，就成了人们之间互相询问和指引的实物标志。一传十，十传百，"一棵树"成了这百里荒原唯一的地标，司机行车，远远地都把这一棵柳树当作目标，人人皆知这一棵树，如今这地方便叫"孤东一棵树"。

四号桩

新中国成立后，百废待兴，对黄河的研究与开发也全面展开。1955年7月，为了搜集黄河入海口的水文资料，一只木船载着七八名水文工作者来到黄河入海口附近设立观测站。设站的地方在离海边5千米的河滩上，大家在成片的荆条、芦苇中开辟出一块平地，搭起了帐篷。因为在河道查勘时，曾在这里埋下一根第四号断面桩，大家一致决定给这个地方起名"四号桩"，新设的观测站就叫"四号桩断面站"。站上最初的设备就是一只木船、一些测报工具和一顶帐篷。建站完成后，其他人都走了，只留下一个人在这里坚持工作，测量、记录黄河入海的水文变化，为黄河的研究工作提供精确而珍贵的数据。后来，黄河入海口发生变迁，四号桩站才结束了它的历史使命。

第三节　迷人的河口湿地

在黄河入海的山东东营境内，有一块总面积达 15.3 万公顷的色彩斑斓的土地，这就是我国东部最广阔、保存最完整、面积最大的一块湿地，也是世界上形成年代最晚的大河三角洲湿地。

鸟类的"国际机场"

"漠漠水田飞白鹭，阴阴夏木啭黄鹂。"长期的自然进化使不同的鸟类适应了不同的生态环境。位于黄河入海口的黄河三角洲国家级自然保护区正是以保护湿地生态和珍稀、濒危鸟类为主的湿地类型自然保护区。独特的地理位置、优越的生态环境，使这里成为东北亚内陆和环西太平洋鸟类迁徙的重要中转站和越冬栖息地。

来河口湿地过冬的候鸟

黄河三角洲国家级自然保护区建立伊始便与鸟类结下了不解之缘，可以说正是因为鸟的缘故，才有了今天的保护区。三角洲湿地内一年四季风景各异，鸟类成了一道变幻无穷的流动风景线。每年的二三月份，成群的丹顶鹤、灰鹤、大天鹅如期而至，而后一同北迁；三月下旬，黑嘴鸥从不同的地点相约而来，长途跋涉、饥肠辘辘的它们在此饱餐后继续北上；四五月份，东方白鹳翩然而至，登高筑巢，繁衍生息；酷暑夏日，须浮鸥也匆匆赶来，此时鹭鸟云集，野鸭成群游荡于水中。

黄河三角洲地理位置优越，是鸟类南迁和北迁通道中的一个补给站。目前保护区内的鸟类已达 368 种，其中不乏国家重点保护鸟类和世界濒危鸟类，整个黄河三角洲湿地就像一个鸟类的"国际机场"，繁忙而有序。

槐花飘香与芦花飞雪

黄河三角洲国家级自然保护区有独特的湿地生态和动植物景观。区内现有植物 393 种，属国家重点保护植物的野大豆在保护区有较广分布。区内生长有天然芦苇 3.3 万公顷、天然草地 1.8 万公顷、天然柳林 2000 公顷、天然柽柳林 8100 公顷、人工刺槐林 5600 公顷。

在黄河入海口北端的孤岛上，生长着华北地区最大的平原人工刺槐林。成片的刺槐林锁住了昔日肆虐的风沙，改善了黄河口地区的生态环境，也为黄河三角洲增添了一道新景观。刺槐林最美的季节在暮春，忽如一夜春风来，千树万树槐花开。放眼望去，遍树花蕾串串，雪白无瑕，浓香四溢，沁人心脾。风过处，绿浪浮动，百里飘香。

遍布于湿地内的芦苇具有与森林同样的功能，吸收二氧化碳，释放氧气，特别是对水的净化作用高出森林数倍。黄河口繁盛茂密的芦苇，依河傍渠，一片接一片，一方连一方，铺天盖地，连绵不断。每年仲

孤岛上的人工刺槐林

河口湿地的芦苇荡

夏时节，绿油油的芦苇枝叶相连，漫无边际。每当阵风掠过，芦苇荡起伏如潮，碧涛滚滚。秋风送爽时节，也是芦苇的成熟季节，日渐饱满的苇穗由淡紫转为粉白，直到芦花盛放，到处是蓬蓬松松、白花花的一片。风乍起，吹来苇絮无数。看苇絮在碧蓝的天空下悠然飘飞，弥天盖地，令人目眩神迷。这就是让无数人流连忘返的黄河口一景——芦花飞雪。

天鹅湖与"红地毯"

这里还有亚洲最大的人工平原水库——拥有 63 平方千米广阔水面的天鹅湖。水光潋滟晴方好，晶莹碧透玉波来。晴天丽日从空中俯视，天鹅湖仿佛一块未经雕琢的巨大翡翠。这里四季水鸟不绝，日出时群鸟齐飞，日落时百鸟争鸣。特别是在冬季，上万只天鹅飞临此处栖息过冬，湖面上一群群洁白的大鸟，像天使信手扯下的片片白云，在碧水的衬托下显得高雅圣洁。

在保护区的沿海滩涂上，又是另一番景色。每到深秋时节，一簇簇深红

"红地毯"

色的翅碱蓬织成巨大的"红地毯"，宛如烈火燃烧，红遍沟沟坎坎。百鸟在"红地毯"上自由飞舞，飘逸动人。

翅碱蓬是盐碱土的指示植物，也是在盐碱地上能够最先生长的植物。海岸新生的土地因为盐分含量高，一般植物不能生长，最先在这里扎根的就是耐盐碱的翅碱蓬。翅碱蓬是泌盐植物，能够吸收盐分，通过叶子把盐分储存起来，死亡以后还能分解稀释掉盐分，起到降低盐碱的作用。翅碱蓬的根系能保持水土，使土壤不断增厚，根和叶子腐烂后能增加土壤中的腐殖质，增加土壤的肥力。通过这个过程，土壤能很快得到改良。土壤脱盐后，就能生长当地人俗称为"马绊草"的植物，再后来就可以生长其他野生植物。随着植物的这种变化，土地的性质慢慢改变，土壤中的腐殖质也越来越富集。这种良性的循环最终肥沃了土壤，为植物的生长、生态系统的完善奠定了基础。

第四节　"华八井"传奇

在二叠纪时期，华北古陆下沉受到海水的浸泡，并再次抬升露出水面。在沉降和抬升的过程中，大量的生物遗体堆积起来，形成了丰富的煤炭、石油和天然气资源。

从华一井到华八井

1956 年，由中国科学院、石油部、地质部等三个部门组成了石油地质委员会，选定在河北沧县至南宫县明化镇的隆起构造上部署华北平原上的第一口基准钻井——华一井。从 1956 年一直到 1960 年，华北勘探处从南打到北、再从北打到南，从华一井打到华七井，始终没有发现良好的油气。所有的人都对华北平原到底有没有石油产生了怀疑。

1961 年 2 月 16 日，是胜利油田开发史上一个值得纪念的日子。这一天，在垦利的东营村，当华八井的钻头从地下 1195 米深的地方取出岩芯时，地质人员突然发现了褐黑色的油砂，这是期盼多年的重大发现，让他们欣喜若狂。他们小心谨慎地把一块油砂装进瓶子，又系上一条红绸子，郑重地写上"华北探区第一块油砂"的字样，连夜派人送到北京。

1961 年 4 月 16 日，钻头终于触及油层，华八井出油了，获得日产 8.1 吨的工业油流，从此拉开华北地区大规模石油勘探开发会战的序幕。1966 年，这

华八井纪念碑

里被正式命名为"胜利油田"，一个石油巨人诞生了。1974 年 9 月 29 日，新华社首次公开报道胜利油田，此时胜利油田已经探明可采储量 3.9 亿吨，年产原油 1084 万吨，成为我国第二大油田。2019 年 12 月 18 日，国务院国资委发布中央企业工业文化遗产（石油石化行业）名录，华八井成为第 15 个入选项目之一，被载入中国石油工业发展史册。

现在黄河口地区已探明石油地质储量 41.6 亿吨，天然气地质储量 230 亿立方米，居全国海岸带之首。胜利油田的油井不但遍布黄河孤岛，而且已经发展到海上。海上开采比陆地开采复杂得多，仅从投资来讲，在海上打一眼油井的成本就大约是陆地打井的两倍。若不是黄河填海造陆，遍布孤岛上的油井都将在海上开采。单从这一点讲，黄河填海造陆为胜利油田的开发立了一大功。

大陆架下的宝藏

黄河入海口浅海区的大陆架，蕴藏着丰富的石油资源。那里海水较浅，阳光几乎能照透整个水层，有利于生物的生长，生物种类比深海丰富得多，尤其是浮游生物，要比深海区多十几倍。这些生物死亡后，大量有机质堆积下来，是生成石油的原始材料。由于大陆架靠近大陆，陆地上河流带来的大量有机物质，既为水生生物提供了丰富的食物，又增加了有机物质的堆积。另外，泥沙在这里沉积下来，成为良好的储油层或保护石油和天然气的覆盖层。黄河口浅海区的大陆架是良好的石油蕴藏区，黄河把储油构造上的海域淤成了陆地，为石油的勘探和开发提供了极为便利的条件。

第五节　奔腾入海

黄河从青藏高原一路奔腾来到了入海的地方，它会以怎样的方式结束万里征程，投入大海的怀抱呢？

"龙摆尾"

在黄河的泥沙问题解决以前，黄河河口的淤积是不可避免的。河口的淤积造成了河道的摆动，这里的黄河就像巨龙的尾巴在摇摆，忽南忽北，横扫八方，被形象地称为"龙摆尾"。

从 1855 年夺大清河入海前的半个世纪里，黄河先是在铁门关牡蛎嘴入渤海，后又分别从毛丝坨和丝网扣入海；1904—1926 年，先后由太平镇以北的老鸹嘴、顺江沟、车子沟、套尔河、面条沟入海；1926 年 7 月，黄河在八里庄决口，由刁口河入海；1929—1934 年，先后由南旺河、宋春荣沟、青坨子入海；1934 年，黄河走甜水沟入海，到了 1947 年以后，为甜水沟、神仙沟和宋春荣沟三汊入海的局面；1953 年 7 月通过引河将甜水沟汇入神仙沟，最终由神仙沟独流入海，这种方式一直持续到 1964 年；1964 年 1 月，河口凌汛成灾，黄河从罗家屋子向北改道，由刁口河入海。

黄河改走新道以后，水流排泄一般比较通畅，但如果听凭"龙尾"摆动，任其自由改道，势必会影响三角洲的开发和利用。因此，改变黄河在这一地区自由改道的状况，使其成为人工控制的流路，是这一地区治理黄河的重要课题。

新中国成立后，有关部门对黄河河口地区进行了深入的研究，为河道治理创造了条件。20 世纪 70 年代中期，治黄部门根据河道情况和水文资料，

黄河入海口

判断当时所走的刁口河已经处于自然演变的晚期，为了避免自然改道造成的巨大破坏，保障河口地区的工农业生产，1976 年 5 月，在西河口实施了有计划的人工改道，由清水沟流路入海。这次人工改道事前进行了充分的调查研究和方案比较，所走路线和改道的时机都经过反复计算和筹划，改道之前还对清水沟进行了开挖疏浚。这样有计划、有准备、有步骤地安排黄河的流路，把"龙摆尾"控制起来，在治黄史上是史无前例的。

清水沟流路一直延续到今天，现在也出现了行河晚期的征兆，科学家们正在积极研究，探索延长这条河道行河时间的方法。

拦门沙

挟带着巨量泥沙的黄河水进入大海，河水和海水相互顶托，致使水流分散，流速变缓，加上海水盐分引起的絮凝作用，使泥沙大量沉积，形成隆起的堆积沙坎，因为位于口门附近，所以称为"拦门沙"。随着淤积愈来愈严重，就会形成河道堵塞，上游来的河水被阻挡而流速慢下来，更加剧了河道的淤积。长此以往，很容易在洪水期造成河水入海不畅，河水上涨，洪水外溢。这里的洪水灾害，很大程度上是由拦门沙引起的。

入海口门处的拦门沙，是船只航行最难通过的地方。吃水较深的大船往往受"拦门沙"所阻，不能直接出海。晚上船停泊在那里，如果麻痹大意，一夜之间淤积的泥沙可能会把船搁浅到离水五六里远的沙滩上。

拦门沙是河流和海洋动力作用的结果，因此治理拦门沙成为黄河河口治理中的关键问题。近年来，除

在黄河口拦门沙实施拖淤作业的船只

对拦门沙进行疏浚、机械动力挖沙，加高加固黄河堤坝外，还逐渐推广引洪水造地、改良盐碱地。加上近年来从上游流入的河水含沙量降低，减少了入海的泥沙，拦门沙的形成受到了一定抑制。

出河溜

到达海口之前的黄河，迸发出所有的力量，气势磅礴地直奔大海。滚滚浊流汇入大海，黄河水就在海面上弥漫开来，与蓝色的海水形成鲜明对比。每当洪水季节，黄河水劈开万顷碧波，直冲深海，最远时可达几十千米，黄水之舌好似黄河的延续，这就是壮观的"出河溜"。这股出河溜冲入海面时涛声大作，轰轰作响，宛如雷鸣。

出河溜前面就是沙嘴，沙嘴左右各有一个面积三四十平方千米的烂泥湾。沙嘴处淤积的是颗粒较大的泥沙，使这里的沙底比较硬，称为"铁板沙"。船只横过出河溜，叫作"过大嘴"，是比较危险的。即使有经验的船工也宁愿绕几十里路，远离出河溜。如果过大嘴遇到风浪，水浅底硬，船只上下颠簸很容易遭到损毁，因而铁板沙又叫"拆船场"。两边的烂泥湾里是漂浮而来的细沙，悬浮的细沙因受海水荡漾和潮汐影响不能固结，从而减轻了风浪的影响，这里就成了船只避风的好地方。即使海上出现六级以上的大风，这里仍然比较平静，成为捕鱼的良好场所。小渔船多在此捕鱼。在深海区捕鱼的船只，每当遇到大风浪后，也常常驶进这里避风。当地渔民都把烂泥湾称为"太平湾"。

出河溜

滨海渔场

　　黄河入海处的浅海区海底比较平坦，加之黄河水带来了丰富的饵料，适于海洋鱼类栖息和繁殖。这里盛产鲅鱼、鲈鱼、带鱼、黄花鱼、比目鱼、毛虾等水产品。

　　黄河对虾是我国著名的海产，不仅肉味鲜美，而且有较高的营养价值。对虾喜欢生活在不太冷也不太热的海水中，主要分布在渤海、黄海一带。它们每年都不辞劳苦地长途旅行，寻找适宜的环境繁殖后代。从夏初到秋末，黄河河口近海区的自然环境很适合对虾繁殖，因此每年3月以后，北方的海水转暖，在黄河口南部越冬的对虾便开始成群结队向北进发，绕过山东半岛，进入渤海湾，然后散游在黄河口附近的浅海中产卵繁殖。这里是渤海三大对虾产卵场之一，有"对虾故乡"之称。每当捕虾季节，大海上渔船云集，千

黄河口海域的渔船

帆竞发，数不清的渔轮和帆船在飞速地追赶虾群。收网时大虾在网中欢蹦乱跳，水面热闹非凡。

　　黄河刀鱼是生长在黄河下游的珍稀鱼类，主要生活在河口一带，形似带鱼而尾短。每到春天，刀鱼从河口逆流而上，到济南洛口一带繁育后代。刀鱼在洄游时长途跋涉，体内储藏的能量被消耗，越往上游越瘦。个别的刀鱼还可以沿河洄游到河南省境内，但这时已瘦成了两张皮。20 世纪 90 年代黄河经常断流，这种黄河独有的鱼类已多年难觅踪影。2020 年 7 月，黄河水利委员会的工作人员在利津至西河口河段的鱼类生物多样性调查中，发现了一条成年黄河刀鱼，这是自 20 世纪 90 年代末以来首次发现的黄河刀鱼活体，说明黄河口海域生态环境已经得到很大改善。

参考文献

[1] 水利部黄河水利委员会 . 黄河流域综合规划（2012—2030 年）[M]. 郑州：黄河水利出版社，2013.

[2] 马永来，蒋秀华，刘东旭，等 . 黄河流域河流与湖泊 [M]. 郑州：黄河水利出版社，2017.

[3] 杨明 . 极简黄河史 [M]. 桂林：漓江出版社，2016.

[4] 辛德勇 . 黄河史话 [M]. 北京：社会科学文献出版社，2011.

[5] 王志刚，许立新 . 黄河　拜谒龙的故乡 [M]. 郑州：黄河水利出版社，2008.

[6] 邓修身 . 黄河万古流 [M]. 郑州：海燕出版社，1989.

[7] 张秋波 . 黄河入海流 [M]. 北京：中国民主法制出版社，2009.

[8] 《话说黄河》编写组 . 话说黄河 [M]. 广州：广东世界图书出版公司，2012.

[9] 水利部黄河水利委员会《黄河万里行》编写组 . 黄河万里行 [M]. 上海：上海教育出版社，1979.

[10] 侯全亮，李肖强，郑胜利 . 黄河 400 问 [M]. 郑州：黄河水利出版社，2016.

[11] 郭国顺 . 黄河：1946~2006：纪念人民治理黄河 60 年专稿 [M]. 郑州：黄河水利出版社，2006.

[12] 邓红 . 黄河博览 [M]. 北京：中国民族摄影艺术出版社，2002.

[13] 毛锜 . 黄河揽胜 [M]. 西安：未来出版社，1989.

[14] 姚文艺，史俊庭 . 破解地球生态癌症的密码 [M]. 郑州：河南人民出版社，2016.

[15] 鄂竟平 . 黄河源：黄河源树碑纪实 [M]. 郑州：黄河水利出版社，2000.

[16] 千析，王磊 . 人与黄河 [M]. 郑州：黄河水利出版社，2010.

[17]《黄河水利史述要》编写组.黄河水利史述要[M].郑州：黄河水利出版社，2003.

[18]侯仁之.黄河文化[M].北京：华艺出版社，1994.

[19]陈梧桐，陈名杰.万里入胸怀：黄河史传[M].上海：华东师范大学出版社，2019.

[20]陈维达，杨勇.黄河：在历史与现实间徘徊[J].中国国家地理，2009（3）.

[21]赵希涛.中国主要江河发育史初探[C]//陈安泽，姜建军.旅游地学与地质公园建设——旅游地学论文集第二十二集.北京：中国林业出版社，2016：141-156.

[22]戴英生.黄河的形成与发育简史[J].人民黄河，1983（6）.

[23]傅建利，张珂，马占武，等.中更新世晚期以来高阶地发育与中游黄河贯通[J].地学前缘，2013（4）.

[24]张义丰.黄河下游地质构造及其对河道发育的影响[J].河南大学学报（自然科学版），1983（1）.

[25]尹学良，陈金荣.黄河下游河性的形成[J].人民黄河，1995（1）.

[26]王苏民，吴锡浩，张振克，等.三门古湖沉积记录的环境变迁与黄河贯通东流研究[J].中国科学（D辑），2001（9）.

[27]尤联元，景可.黄河河源区地貌发育初步研究[J].人民黄河，1980（5）.

[28]于守兵，凡姚申.黄河三角洲海岸线标准对陆地面积的影响[J].海洋地质前沿，2021（2）.

[29]余欣，吉祖稳，王开荣，等.黄河河口演变与流路稳定关键技术研究[J].人民黄河，2020（9）.